NEW
서울대 선정
인문고전
60선

11
홉스 리바이어던

NEW 서울대 선정 인문 고전 ⑪

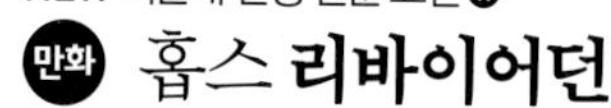

개정 1판 1쇄 발행 | 2019. 8. 21
개정 1판 2쇄 발행 | 2021. 9. 27

손기화 글 | 주경훈 그림 | 손영운 기획

발행처 김영사 | 발행인 고세규
등록번호 제 406-2003-036호 | 등록일자 1979. 5. 17.
주소 경기도 파주시 문발로 197 (우10881)
전화 마케팅부 031-955-3100 | 편집부 031-955-3113~20 | 팩스 031-955-3111

값은 표지에 있습니다.
ISBN 978-89-349-9436-7
ISBN 978-89-349-9425-1(세트)

좋은 독자가 좋은 책을 만듭니다. 김영사는 독자 여러분의 의견에 항상 귀 기울이고 있습니다.
전자우편 book@gimmyoung.com | 홈페이지 www.gimmyoungjr.com

이 도서의 국립중앙도서관 출판예정도서목록(CIP)은 서지정보유통지원시스템 홈페이지(http://seoji.nl.go.kr)와
국가자료종합목록시스템(http://www.nl.go.kr/kolisnet)에서 이용하실 수 있습니다. (CIP제어번호 : CIP2018042483)

어린이제품 안전특별법에 의한 표시사항

제품명 도서 제조년월일 2021년 9월 27일 제조사명 김영사 주소 10881 경기도 파주시 문발로 197
전화번호 031-955-3100 제조국명 대한민국 ⚠주의 책 모서리에 찍히거나 책장에 베이지 않게 조심하세요.

미래의 글로벌 리더들이 꼭 읽어야 할 인문고전을 만화로 만나다

주니어김영사

| 기획에 부쳐 |

〈NEW 서울대 선정 인문고전60〉이 국민 만화책이 되기를 바라며

제가 대여섯 살 때 동네 골목 어귀에 어린이들에게 만화책을 빌려주는 좌판 만화 대여소가 있었습니다. 땅바닥에 두터운 검정 비닐을 깔고 그 위에 아이들이 좋아하는 만화책을 늘어놓았는데, 1원을 내면 낡은 만화책 한 권을 빌릴 수 있었지요. 저는 그곳에서 만화책을 보면서 한글을 깨쳤고 책과의 인연을 맺었습니다.

초등학교 때는 용돈을 아껴서 책을 사서 읽었고, 중학교 때는 학교 도서 반장을 맡아 도서관에서 매일 밤 10시까지 있으면서 참 많은 책을 읽었습니다. 그 무렵 헤밍웨이의 《노인과 바다》를 손에 땀을 쥐며 읽으면서 인생에 대해 고민했고, 헤르만 헤세의 《수레바퀴 아래서》를 읽으며 사춘기의 심란한 마음을 달랬습니다. 김래성의 《청춘 극장》을 밤새워 읽는 바람에 다음 날 치르는 중간고사를 망치기도 했습니다.

당시 저의 꿈은 아주 큰 도서관을 운영하는 사람이 되어 온종일 책을 보면서 책을 쓰는 작가가 되는 것이었습니다. 나이가 들고 어느 정도 바라는 꿈을 이루었습니다. 큰 도서관은 아니지만 적당한 크기의 서점을 운영하고, 글을 쓰는 작가가 되었거든요. 저는 여기에 새로운 꿈을 하나 더 보탰습니다. 그것은 즐거운 마음과 힘찬 꿈을 가지게 해 주고, 나아가 자기 성찰을 도와주는 좋은 만화책을 만드는 일이었습니다. 이렇게 해서 만든 책이 바로 〈서울대 선정 인문고전〉입니다. 서울대학교 교수님들이 신입생과 청소년들이 꼭 읽어야 할 책으로 추천한 도서들 중에서 따로 60권을 골라 만화로 만든 것입니다. 인류 지성사의 금자탑이라고 할 수 있는 고전을 보기 편하고 이해하기 쉽도록 만화책으로 만드는 일은 쉬운 일은 아니었습니다. 약 4년 동안에 수십 명의 학교 선생님들과 전공 학자들이 원서의 내용을 정확하게 전달할 수 있도록 밑글을 쓰고, 수십 명의 만화가들이 고민에

고민을 거듭하면서 만화를 그려 60권의 책을 만들었습니다.

〈서울대 선정 인문고전〉이 완간되었을 무렵에 우리나라에 인문학 읽기 열풍이 불기 시작했습니다. 〈서울대 선정 인문고전〉은 인문학 열풍을 널리 퍼뜨리는 데 한몫을 하면서 독자들의 뜨거운 사랑과 관심을 받았습니다. 덕분에 지금까지 수백만 권이 팔리는 베스트셀러가 되었습니다. 그 사랑에 조금이나마 보답을 하기 위해 《칸트의 실천이성 비판》, 《미셸 푸코의 지식의 고고학》, 《이이의 성학집요》 등 우리가 꼭 읽어야 할 동서양의 고전 10권을 추가하여 만화로 만들었습니다.

〈서울대 선정 인문고전〉은 어린이와 청소년이 부모님과 함께 봐도 좋을 만화책입니다. 국민 배우, 국민 가수가 있듯이 〈서울대 선정 인문고전〉이 '국민 만화책'이 되길 큰마음으로 바랍니다.

손영운

민주주의 사상의 시작점이 된 《리바이어던》

홉스의 《리바이어던》은 인간의 본성에서 출발하고 있습니다. 홉스는 성경의 가르침대로 인간이 원래 악하다는 성악설의 입장을 따르고 있고, 악한 인간이 만드는 세계는 '만인에 대한 만인의 투쟁' 상태가 된다고 보았던 겁니다. 이런 상태에서 인간은 한없이 고독하고 비참한 상태이며, 이를 극복할 수 있는 방법으로 근대국가가 탄생되었다고 본 것이지요. 즉 홉스의 근대국가는 통치자와 백성들 간의 계약으로 성립된 거예요. 우선 국민들은 통치자에게 복종을 할 의무가 있고, 통치자는 백성들의 안전을 제공하는, 쌍방의 계약으로 국가가 탄생한 것입니다.

지금의 시각에서 보면 홉스의 국가는 통치자 중심의 권위적인 정치체제라고 볼 수 있죠. 그러나 통치자와 국민 간 사회계약을 통하여 국가가 탄생된다는 생각은 홉스가 살던 당시에는 획기적인 것이었어요.

홉스의 사회계약설은 당시의 왕권신수설, 즉 왕권이 신으로부터 오기 때문에 왕은 신 이외에는 아무에게도 책임을 질 필요가 없다는 사상과는 큰 대

립을 하게 되었던 겁니다. 또한 홉스의 사상은 당시 세상을 지배하던 교회의 권위로부터 국가를 독립시켜, 근대국가에 정부 구성의 원리를 제공해 주었습니다. 그러나 홉스는 정치에 간섭하는 교회의 권위를 비판하고, 군주제를 옹호함으로써 당시 혁명파들의 공화정에 반대되는 주장을 펼쳤습니다. 그러다보니 양쪽 세력으로부터 동시에 비난을 받는 처지가 되었죠. 많은 천재적 사상가들이 당대에는 비난을 받게 되는 전철을 홉스도 피할 수는 없었던 것 같습니다.

결국 《리바이어던》은 철학, 신학, 정치학 등 여러 분야를 넘나들면서 중세의 세계관을 극복하고 근대를 여는 아주 중요한 역할을 한 책입니다. 또한 《리바이어던》을 통해 홉스는 근대국가를 사회계약이라는 토대 위에 세우려 했는데, 그런 점에서 지금 우리가 누리는 민주주의 사상은 홉스에서 출발한다고 볼 수가 있지요. 이것이 우리가 《리바이어던》을 읽어야 하는 이유가 아닐까요?

손기화

최초의 사회계약론자, 홉스를 만나봐요

요즘에는 신문 만화란에서 대통령과 왕을 동물로 우스꽝스럽게 표현하는 등 누구라도 서슴지 않고 지도자들을 비판할 수 있습니다. 그들이 정책을 내놓았을 때는 의회에서 심사할 뿐만 아니라 국민들도 촛불집회 등 다양한 방법으로 정치에 참여할 수 있고요. 그만큼 권력이 다원화되고 민주화된 것이지요.

사람들이 모여 촛불집회를 할 때 누군가 이렇게 외친다면 어떻게 될까요? "통치자에게는 막강한 힘을 주어야 한다! 우리가 투표를 통해 그를 선출한 것은 우리의 권한을 넘겨주었다는 의미니까. 통치자에게 언제나 복종해야 해!"라고 말이에요. 아마도 엉덩이를 뻥! 걷어챌 거예요. 그런데 이것은 바로 홉스가 그의 책 《리바이어던》에서 외쳤던 얘기랍니다.

홉스가 《리바이어던》을 쓴 17세기 당시에도 그의 의견은 사람들에게 배척을 받았지요. 하지만 그 이유는 지금과는 달라요. 그 시대에는 왕은 신으로부터 권한을 받았다는 '왕권신수설'이 널리 받아들여지고 있었거든요. 그래서 국민이 계약을 통해 권한을 넘겨줌으로써 왕에게 통치권이 생겼다는 것은 말도 안 된다고 생각했지요. 홉스는 최초로 사회계약론을 내세운 정치철학자였습니다.

17세기 유럽은 혼란의 시기로 그리스도교의 각 분파 사이에서는 전쟁이 끊이지 않

았어요. 홉스는 이런 혼란을 바로잡으려면 바로 힘! 아주 크고 위대한 힘이 통치자에게 주어져야 한다고 생각했지요. 그런 큰 힘을 가진 자가 없으면 사람들은 자기 안전이나 욕심을 채우기 위해서 약한 사람의 것을 빼앗고, 서로를 해치게 될 테니까요. 즉 사람들은 자신을 보호하기 위해 통치자에게 자기의 권한을 넘기고, 통치자는 이 강력한 통치권을 이용하여 개인들의 평화와 안전을 책임지는 것이지요.

뿐만 아니라 홉스는 교황과 타락한 종교인들에 대해서도 신랄하게 비판을 하고, 교황보다 왕이 위에 있다고 했기 때문에 교회로부터도 미움을 받았어요. 결국 《리바이어던》은 위험하고 불순한 책이라 하여 금서가 되고 말았지요.

시대를 앞서가서 외로웠던 홉스! 그러나 금서였던 그의 책 《리바이어던》은 훗날 유명한 사상가들에게 영향을 주었고 지금은 많은 사람들에게 사랑받는 베스트셀러가 되었답니다. 또 홉스는 영국 최고의 정치 사상가로 인정받고 있지요.

자, 그럼 《리바이어던》의 세계로 어서 들어가 볼까요?

주경훈 (하이툰)

차 례

읽고나면 홉스와 더 친해지는 7가지 이야기

제1장 《리바이어던》은 어떤 책일까?

욥기 41장에서 리바이어던은
입에서는 횃불이 나오고,
콧구멍에서는 연기가 나오고,
콰콰콰

창이나 작살로 찔러도 아무
소용이 없고,
얍!
퍽

철을 지푸라기같이 다루는
동물로 묘사되어 있어.
투둑

그래서 땅 위에 그 어떤 것도
리바이어던만큼 무서운 것이 없고
치이익

온갖 자만한 것과 교만한 것을
압도하는 짐승으로 나오지.
우쭐
나를 이길 자
있으랴!

이 짐승은 혼돈과 무질서를 상징하면서

하느님과 대적하는 것으로 자주 등장하곤 해.
홉스 아저씨!
이렇게 위험하고
무시무시한 동물을
왜 책의 제목으로
삼았죠?
위험하고 무시무시
하기 때문이지!

성경에서 말하고 있는 것과는 반대로
홉스는 리바이어던의 막강한 힘을
높이 평가했어.
그래! 바로
저거야!

리바이어던의 힘에 의해 안전과
질서가 보장될 수 있다고 생각했지.
헉!
Stop it!

힘을 가진 통치자,
이것이 홉스가 생각하는
리바이어던이야.

성경에서는 모든 전쟁과 혼란이
와
와
으악!

인간의 통제되지 않는 열정과
교만함에서 비롯된다고 보고 있지.
내가 가지겠다!
내가 제일
잘났어!

그래서 홉스는 인간의 열정과
교만을 억누르기 위해서는
쿵
열정교만

막강한 힘을 가진 리바이어던이 있어야 한다고 본 거야.
결국 인간들의 본성 때문에
내가 필요하다는 거지.
펑

그런데 인간의 본성이
뭐가 그렇게 문제라는
거예요?

우리 엄마, 아빠도 좋고
LOVE

내 동생, 친구들, 내 주위에는
좋은 사람들뿐인데?
홈런!
깡
와아!

세상에 좋은 사람들이
얼마나 많은데….
法

그렇다면 지금 세계에서 일어나는
일들을 한번 살펴볼까?
백문이 불여일견!

서남아시아의 이라크에서는 미군과 이라크군의 분쟁이
아직도 끊이지 않고 있어.
펑
펑

이스라엘과 주변 국가들은 계속
서로를 죽이는 테러를 일으키고 있지.

아프리카에서는 수백만 명이
굶주리고 있는데
앵

우리나라 사람들이 1년간
버리는 음식은 수십조 원이나
된다고 하지.
우엑!
콩나물은 안 먹는다니까요!

신문에는 날마다 사기, 폭행,
살인 사건 같은 범죄 기사가 실려.
일가족 살인 사건 범인, 이웃으로 밝혀져
수입 쌀에서 유해 물질 발견!
무차별 살인 급증

이쯤되면 인간의 본성이
착하다고 보기는 어려울 거야.
흠흠… 그렇네….

홉스는 인간의 본성이 이렇게
이기적이라
덜덜
으으~ 추워.
앗! 털옷이다!

자기 자신을 보호하기 위해서는
공격적이고 파괴적인 일도 서슴지
않는다고 생각한 거야.
우히히, 이제 내 것이다!

결국 인간은 자연 상태에서
'만인에 대한 만인의 투쟁 상태'로
살아갈 수밖에 없다는 거지.
털옷?
이게 웬 떡이냐!
퍽
으악!

이런 상태에서 인간은 모든 사람이
서로에게 적이 되고
이걸 빼앗기지 말아야 할 텐데….

삶은 아주 비참할 거야.

어떤 산업도, 예술이나 지식도
기대할 수 없겠지.
휘이잉
HOP

홉스는 인간이 이런 상태를
극복하기 위해서
이렇게는 못 살겠다!
사람들이 자기 욕심만 채우는 것을 막게 하는 어떤 큰 힘이 필요해!

공동의 권력을 만들게 되는데
COMMON POWER

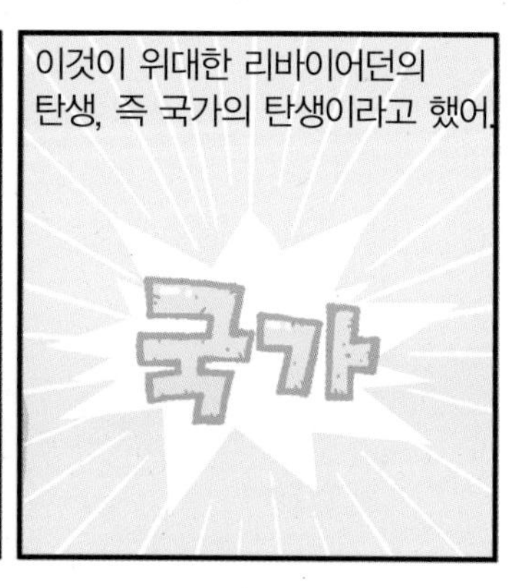
이것이 위대한 리바이어던의
탄생, 즉 국가의 탄생이라고 했어.
국가

리바이어던이라는 국가는 공동의 평화와 방어를 위해 필요한
모든 힘과 수단을 이용할 수 있는 한 인격체야.

이 국가를 이끄는 사람을 통치자라고 하는데

그 사람은 통치권을 가지고 있어서

그를 제외한 모든 사람들은
그의 백성이 되는 거야.
충성을 바치겠습니다.

그러면 어떤 사람이 통치자가
될 수 있을까?
나도 한번 왕이 되고 싶다, 히히!
히힛

과거나 지금이나 아무나 통치자가
될 수 있는 것은 아니야.

고대나 중세에는 자연과 신,
이분은 신이 점지하신 분이다!
??
와아

혹은 세습에 의한 전통으로부터
이런 권한이 주어졌어.
내가 죽으면 맏아들에게 왕위를….

그러나 홉스는 이런 권한은
보호받기를 원하는 사람들이
자발적으로
으아아아!!

자신들을 보호할 힘이 있다고
확신하는 한 사람이나 협의체에게
저 사람은 힘이
세 보이는데!
성도 견고해
보여!

복종하기로 동의할 때 생긴다고
보았지.
우리를
지켜주십시오!

여기에서 서로의 계약이
성립하는 거야.

사람들은 통치자에게 복종을
약속하고
에헴!

통치자는 사람들의 안전을 보장해
주어야 하는 거지.
팍
팍

그러니까 국가는 사람들이 스스로를
보호하기 위해,
영차!

통치자와 계약을 맺음으로써
만들어진 인공적인 가공품이야.
국가=

하느님이 인간과
자연을 창조했듯이

인간은 자신들의 안전을 보호받기 위해
계약을 통해 국가를 창조한 거야.
국가

나는 이 주장
때문에 많은
곤란을 겪었어.

홉스의 이런 생각은 그 당시 왕당파 사람들이 신봉하는
왕권신수설과는 큰 차이가 있었거든.
홉스 네 이놈!
신성한 왕권을
욕되게 하다니.
왕당파

왕권신수설에서는 군주의 권한이
하느님으로부터 오는 것이라고 보았어.

그래서 백성들은 왕의 권한에
저항할 수 없고
죽는 시늉을
해라!
꽈당
꼴까닥!

절대 복종을 해야 하지.
나에게 대드는 건
신에 대한
모독이나
다름없다고.

하지만 나는 왕의
통치권이 백성들과의
계약으로부터
나왔다고 주장했어.
기분 나쁠
만하네!

결국 계약을 통해서 왕이 되었으니까
안전
통치권

왕의 통치권은 백성에 의해
제한될 수 있는 것이지.
계약대로 하지 않으면
통치권도 취소야!
잉!
통치권

또한 백성들은 안전을 위해 자신들의
권리를 왕에게 양도했지만
세금
재판
세금도 내
맘대로 걷고
재판도 내
맘대로 하고.

모든 권한을 양도한 것은 아니야.
이…이건 뭔데
안 주는 거야!
끄응

백성들이 왕과 계약을 맺은 건 자신들의 안전을 보장받기 위해서야.
그러므로 그런 권리는 왕일지라도 빼앗을 수 없는 것이지.
나를 위하여 목숨을
다 바쳐 싸워라!!
계약서 다시
읽어 보슈.
KING

지금은 왕도 없고,
우리를 칼로 찌르려는
적군도 없고,
민주주의 선거로
통치자를 뽑는데 이건
너무 구식이잖아요?
기호 1

구식이라고?

아니야. 홉스의 사상은
그 당시에는 최첨단이었어.
우쭐

이 계약 사상은 홉스 이전에는 아무도
생각해내지 못했어.
이런 말도
안 되는 얘기가!
리바이어던

그래서 홉스는 많은 비난을
받아야 했지.
퍽
이런 불순한
책을 쓰다니!
혼란을 불러오는
책이다!

그래! 《리바이어던》이 씌어진
시대를 알면 이 책을 더 잘
이해할 수 있을 거야.
리바이어던

그러면, 홉스가 살던 시대로
가볼까? 17세기 유럽으로
떠나는 거야!
지잉

여기가
어디야?
전쟁터잖아!
맞아. 17세기 중엽
유럽은 전쟁터였어.
쿵
쿠쿵

이 시기 유럽에서는 로마 교황을
중심으로 한 구교도들과
로마 교황
최고!

넌 파문! 왠지
마음에 안 드는
너도 파문!
히히.
파문 당하면
사람 취급도
못 받지롱.

교황의 권위에 반대하는 신교도들
사이에 갈등이 심해지다가
고인 물은
썩는다더니…

결국 전쟁이 터졌는데 이게 바로 30년 전쟁이야.
콰
쾅

구교도와 신교도 사이에 벌어진 잔인하고 파괴적인 전쟁이었어.
신교도
구교도
부패하고 타락한 가톨릭은 이제 가라!
이단이다!
사이비들을 처단하자!

전쟁은 1648년 베스트팔렌 조약으로 일단락이 되는데,
전쟁은 이제 그만~

이 전쟁으로 유럽 사회는 황폐화되었고

유럽인들은 그들이 믿던 크리스트교가 자신들에게 평화를 가져다주지는 않는다는 것을 깨닫게 되었어.
뭔가 잘못돼도 한참 잘못됐어.
변화가 필요해.

이 무렵 홉스가 태어난 영국에서는 청교도 혁명이 일어났어.

영국의 절대 왕정은 가장 뛰어났던 지도자로 평가되는 튜더 왕조의 엘리자베스 1세에서

제임스 1세의 스튜어트 왕조로 넘어가면서 큰 시련을 겪게 되었지.

스코틀랜드 출신의 제임스 1세는 영국 의회를 가볍게 여기고
낄낄.

의회 자체를 부정하는 왕권신수설을 주장해.
내 왕권은 하느님이 주신 거야!

제임스 1세의 방탕한 생활로 국고의 낭비가 심했고
망토의 둘레에 다이아를 쭉~ 박으면 어떨까?
아! 포르쉐도 두 대 더 뽑아야겠어.

궁정은 갈수록 부패해져
부어라 마셔라~

엄격한 규율을 갖는 청교도들의 분노를 샀어.
청빈
절약
금욕
절제
크

게다가 그의 아들 찰스 1세는 절대주의를 한층 강화하여
그 아버지에 그 아들이군.

의회의 승인 없이 세금을 징수하고,
왕전용 핀란드식 사우나실 건설을 위한 특별 세금입니다!
선박세를 부과하고,
내놔!
헌금을 강제로 징수하고
천국 가고 싶잖아.
그렇지?

응하지 않는 사람들은 감옥에 가두기도 했어.
지난 달 세금으로 창고에 쌀 한 톨 없다니까요!

급기야 1629년부터 1640년까지는 의회를 아예 해산시키고 통치를 했지.
의회를 없애다니….

찰스 1세는 스코틀랜드에도 영국 왕을 우두머리로 하는 영국 국교회를 믿으라고 강요했는데
좋게 말할 때
스코틀랜드
영국 국교회를 믿어!

스코틀랜드가 이에 응하지 않자
여긴 청교도의 한 분파인 장로교가 우세해!
우리가 왜 영국 왕을?

스코틀랜드에 무력 침입을 시도했어.
건방진 놈들! 공격이다!!

그러나 도리어 1640년, 스코틀랜드가 영국의 뉴캐슬을 점령했어.
어라? 이게 아닌데….

결국 11년 만에 의회는
다시 소집되고

의회는 그 조건으로 권리 청원서를
왕에게 제출했어.

1.정당한 이유 없이 시민을
함부로 체포나 구금할 수 없다.
2.평화시에는 계엄령을 선포
할 수 없다.
3.일반 시민의 집에 허가 없이
군인을 숙박시킬 수 없다.
4.의회의 동의 없이 세금 부과나
강제 징수를 할 수 없다.

다시 소집된 의회는 왕당파와
의회파로 갈리게 되었어.

왕당파는 영국 국교회 신자인
귀족들이,

의회파는 청교도들인 자유 농민과
상공업자들이 중심 세력이었지.

찰스 1세의 완고하고 무책임한 태도,

의회에서 종교를 둘러싼
의회파와 왕당파 간의 갈등이

결국 내전으로 번지게 된 거야.

전쟁 초기 2년간은 국왕군이
우세했어.

그러나 자유 농민을 중심으로

기병대를 조직한 크롬웰이 등장하여
그의 지도력으로 의회파는
결국 네이즈비 전투에서 국왕군에
승리했어.
Naseby
쾅

찰스 1세는 스코틀랜드로 달아났는데
살려줘~
다다…

스코틀랜드가 거액을 받고
찰스 1세를 영국에 팔아넘기지.
깡
휘익

내란은 종결되었고 결국 찰스 1세는
처형을 받았어.
흐흑
슥

이후 영국은 왕이 없는 공화국이
되고, 크롬웰의 독재 정치가
시작되니, 이것이 바로 청교도
혁명이야.
이제 나의
세상이다!

크롬웰의 통치는 갈수록 지나친
독재 체제로 흘러,
이놈이나 저놈이나
권력만 잡았다
하면… 쯧쯧.

결국 의회를 해산하고 자신이
호국경으로 영국을 다스렸어.
짐 풀기가 무섭게
쫓겨나는구먼.

그러나 그의 죽음과 함께
공화국도 무너지고 말아.
크롬웰 사망!
크롬웰 사망!

그의 아들은 무능했고
고위 사령관들은 서로 다투면서
이제 권력은
내 것이다!
아냐, 내 거야.

크롬웰이 세웠던 독재 체제는
몰락의 길을 걸었어.
아버지
크흐흑….
독재체제
몰락의 길

결국 몽크 장군이 거느린
군대에게 군사 독재 체제는 막을
내리고
이제 영국은 다시
왕이 통치한다!

1660년 찰스 2세가 즉위했어.
아이구, 머리 아파!
사람 살 곳이 못 되는군!

큰 회오리가 지나가고 나면 건물도 관공서도 다 파괴되고 거리는 황폐해지듯이
까악
까악

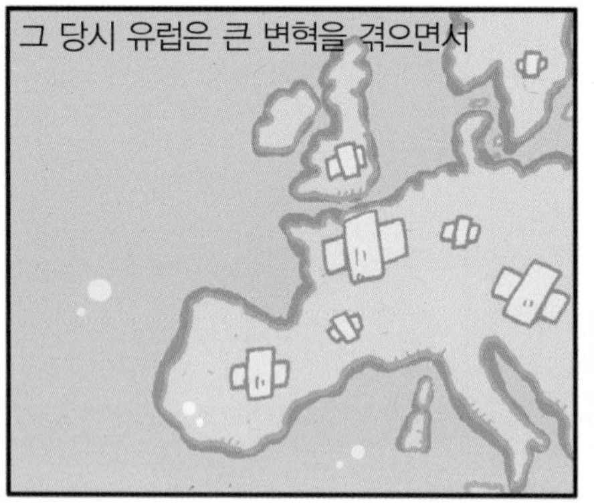
그 당시 유럽은 큰 변혁을 겪으면서

새로운 질서를 기다리고 있었지.

《리바이어던》은 이런 혼란기의 중간 시점인 1651년 5월, 런던에서 처음 출판되었어.
해리 포터 있어요?
해리… 뭐?
리바이어던

홉스는 이때 영국 내 혼란을 피해 프랑스에서 망명 생활을 하고 있었지.

이 유럽과 영국 사회의 격변기에

어떻게 하면 사람들이 계속 평화를 유지할 수 있는가에 관심을 가졌던 거야.
뒤죽박죽 된 세상을 바로잡아줄 뭔가가 필요해.

30년 종교 전쟁과
퍽

영국 내의 청교도 혁명을 경험한 홉스는

유럽 사회의 안전에 가장 큰 위협이 영국 국교회, 가톨릭교, 장로교 같은 종교적 견해의 차이라고 보았어.

그래서 홉스는 종교적 계시가 인간 이성과 반대가 되어서는 안 된다고 본 거야.

잘 봐! 이성적인 인간은 자기 자신의 생명을 보존하려고 할 거야.

그런데 사람들은 종교적 차이 때문에 전쟁을 한단 말이야.

이럴 경우 종교적 계시와 이성 간에는 불일치가 일어나는 거야.

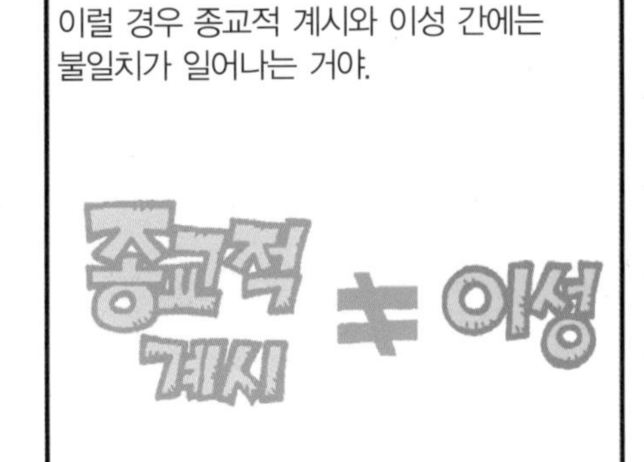

홉스는 당시의 종교적 권위와 그것을 옹호하는 스콜라 철학에 불만이었고

이성적이고 과학적인 방법에 찬사를 보내게 되었던 거야.

홉스는 이성을 바탕으로 종교와 자연에 대해 인식해야 한다고 주장했어.

《리바이어던》은 홉스의 이런 생각을 정치의 영역으로 확대한 책이야.

이 책은 총 4장으로 구성되어 있어.

1장은 인간론이야.
제1장 인간론

홉스는 과학적인 방법으로 인간의 본성과 행동을 이해하고 이것을 그의 정치 이론에 적용하고 있어.

홉스는 인간은 본성적으로 탐욕스럽고 이기적이기 때문에
죽여서라도 빼앗겠다!

자연 상태에서는 서로가 서로에게 적이 되고
내 보석이야!
이리 내놔!
퍽

어디에도 안전한 곳이 없기 때문에
휴~ 다행히 빼앗기지 않았다!
하지만 언제 또 공격당할지 몰라.

사람들은 항상 죽음에 대한 공포에 사로잡혀 있게 된다고 했어.
누…누구냐!
휙

이 상태를 자연 상태라고 하는데 이런 비참하고 절망적인 상황에서 벗어나기 위해
언제까지 이렇게 살아야 한단 말인가?

인간의 이성이 서로의 행동을 규제할 자연법을 제시한다는 거야.
너와 나는 서로의 물건을 빼앗지 않기로 하자.
끄덕
끄덕

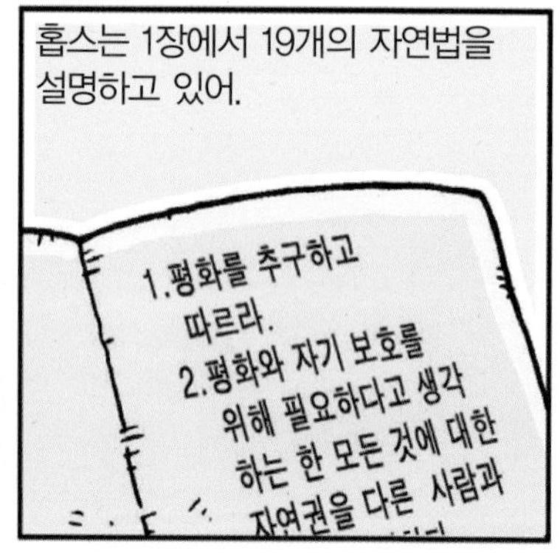
홉스는 1장에서 19개의 자연법을 설명하고 있어.
1.평화를 추구하고 따르라.
2.평화와 자기 보호를 위해 필요하다고 생각하는 한 모든 것에 대한 자연권을 다른 사람과

하지만 자연 상태에서 자연법만으로는 충분치가 않아.
빼앗지 않기로 했었지! 안심하고 어디 한 입 먹어 볼까?

자연법은 강제성이 없기 때문에 언제라도 자기 이익을 위해 깨뜨릴 수 있거든.
나도 배가 고픈걸!
탁
뺏어 먹으면 어쩔 건데?

그래서 사람들이 두려워할 공동의 힘이 필요하다고 했어.
어떻게 해야 저 사람이 내 고기를 빼앗아 먹지 않게 할 수 있을까?

2장은 국가론으로
제2장 국가론

사람들이 자기 보존과 평화를 위해 통치자와 계약을 맺음으로써
국가가 탄생되는 과정에 대해 설명하고 있어.

사람들은 강하고 절대적인 공동의 힘을
얻기 위해
공동의 힘

자신들의 권리와 힘을 자신들을
지켜줄 만한 누군가에게 넘기기로
계약해.
헴!
권리
권리
이 힘을 부여받아 백성들의
대리인이 된 사람을 통치자라고 해.
권리 합체!
착

국가가 백성의 안전이라는 목적을
달성하기 위해
두리번
이번에도
빼앗길 것 같은데.
두리번

통치자가 사용할 수 있는 최선의
수단이 시민법인데
낑.

통치자의 권력은 사람들로
하여금 시민법에 복종하게 만들어.
어림없지!
여길 봐라!
남의 것을
빼앗지 않는다.

홉스는 한 사람이 최고 주권을 갖는
형태인 군주제가
모든 힘은
나에게로!

자연 상태를 극복하기 위한 통치권을 확립하는 데 있어서
다른 민주 정치나 귀족 정치보다 더 적합한 정치 체제라고 말하고 있어.
이건 좀 약해,
약해~
어쩌구 저쩌구…

3장은 그리스도 왕국에 관한 내용이야.
제3장 그리스도 왕국

홉스는 《리바이어던》의 절반 이상을 종교적인 문제에 대해 다루고 있어.

그것은 당시 교회와 종교인들이 여전히 막강한 영향력을 누리고 있었기 때문이야.
이쪽으로~
이쪽으로~

중세 유럽은 종교가 사회 모든 문제에 대해 지배적인 영향력을 행사하던 시대였어.

그래서 그 시대의 보편적이던 스콜라 철학에 따르면
스콜라 철학

철학은 신학의 시녀라는 말이 나올 만큼
철학
싹싹

세속적인 정치, 국가, 지식 같은 것은 신학, 종교, 교회 등의 아래에 존재한다고 여겨졌지.
신학. 종교
교회
정치. 국가. 지식

그러나 14~16세기 르네상스와
신 중심에서 인간 중심으로 돌아오자!
르네상스

종교 개혁을 거치면서
종교개혁
부패한 교회는 물러가라!

이런 생각은 점차 깨어지게 되고
이제 새로운 것이 필요한 때야.
오히려 종교가 우리를 전쟁에 몰아 넣었어.

세속적인 것이 더 이상 하찮게 취급되지 않게 되었어.
정치. 국가. 지식
신학. 종교. 교회

그러나 여전히 교회와 성직자들의 권력은 막강했고
하느님의 영광이 우리와 함께!

사회, 정치 영역에 크게 관여하고 있었어.
이번 항해로 개발은 반대네.
엥!

이런 시대적 상황에 홉스는 종교를 정치적 행위의 하나라 생각하고
정치
종교

세속 정치와 마찬가지로
이번 에스파냐와의 무역은 완전히 적자였죠.
수출 품목이 잘못된 것 같소.

종교 역시 사람들의 안정과 평화를 위해 봉사해야 한다고 주장한 거야.
휙
지금 뭐라고….

이런 얘기를 들은 성직자들과 신학자들의 반응은 어땠을까?
당연히 엄청 싫어했겠죠!

물론이야. 그 주장은 많은 사람들과 충돌을 일으키게 돼.
사람이 교회를 위해 있어야지, 교회가 사람을 위해 있어야 한다는 거냐!!

당시 런던 주교였던 존 브럼홀에게 마이크를 건네 볼까?
리바이어던은 생명의 빛을 빼앗는 거대하고 흉측한 동물이오!

언제나 논쟁을 일으켰던 홉스의 《리바이어던》은
문제투성이인 책이야!
홉스의 사상은 위험한 데가 있어.
리바이어

1666년 런던 대화재와 전염병 등으로 사회가 어수선해지자
활활

영국 의회가 무신론과 신성 모독을 반대하는 법안을 만들면서
《리바이어던》은 무신론을 조장하는 불순한 책입니다!

금서로 지목되었어.
금서

4장에서 홉스는 어둠의 왕국에 대해서 설명하고 있어.
제4장 어둠의 왕국에 대하여

그는 사람들이 어둠의 왕국에 빠지는 이유를

성서에 대한 잘못된 해석에서 찾고 있어.
성서는 해석에 따라 크게 달라질 여지가 있어.

어둠의 왕국의 지배자들이 세상을 지배하기 위해

거짓된 교리를 퍼뜨려서 사람들을 어둠의 세계로 빠지게 만들었다는 거야.
이 면벌부 한 장이면 바로 천국행이라니까.
면벌부

그리고 그런 교리를 퍼뜨려서 사람들을 꼬드기는 이 지배자들이

다름 아닌 가톨릭의 성직자들과 교황이라는 거야!
바로 우리지!

교회는 존재하지 않는 것을 존재하는 것처럼 가르쳐서 믿게 만들고
우리 아들이 왜 저렇게 잠이 많을까요?
악령이 씌었기 때문입니다!

이야기를 지어내 사람들을 공포심에 떨게 만든다는 거야.
이 일을 어쩜 좋아!
밤에 제대로 안 자고 오락해서 그런 건데….

홉스는 그들이 그릇된 가르침을 통해서
헌금을 많이 하는 사람에게만
하느님의 축복이 있으리!

가장 큰 혜택을 보는 사람들이라고 비난하고 있어.
우린 이제 부자예요, 주교님!
누가 홉스 입 좀 막아봐.
척

토마스 홉스는 근대적인 합리주의와 경험주의를 바탕으로 한 국가론을 내세워
슥슥…

근대 시민 사회의 토대를 마련한 영국의 위대한 철학가야.

《리바이어던》은 홉스의 대표작으로
법의 기초
시민론
물체론
리바이어던
인간론
자유와 필연에 관하여

그의 인간론, 정치론, 종교 철학 등 홉스의 전 사상이 압축적으로 담겨 있는 책이지.
꾹
꾹

홉스의 철저한 논리성과
으악~ 반박하기 어려워라.
리바이

인간의 본성에 대한 예리한 통찰력은 타의 추종을 불허해.
너무 예리해서 불쾌해질 지경이야!
칭찬으로 들어야지.

《리바이어던》은 철학이나 정치학을 배우려는 사람들 손에 반드시 쥐어지는 책 중 하나야.
읍…

책 속의 주옥같은 표현들은 현대 사회에서도 자주 인용되곤 하지.
이 무한 경쟁 사회 속에서 우리는 만인에 대한 만인의 투쟁 상태로 살아가고 있는 것입니다!

이제, 이 책의 작가인 홉스 아저씨에 대해 알아볼까?
다음 장으로 고고!!
슈우우

제2장
홉스는 어떤 사람일까?

특히 교회가 가르치는
스콜라 철학을 반대하고
이의 있습니다!
벌떡

당시 사람들에게는 익숙지 않던
과학적 세계관으로 세상을
비판하였기 때문에
합리적이고 과학적으로
뭐가 옳고 그른지
가려보자구요.

과거 교회의 가르침을 주장하던
사람들에게 홉스는 눈엣가시 같은
존재였어.

정치적으로도 홉스는 왕당파에게도 배척을 받고
흥! 왕권이 신권이
아니라고?
백성들이 계약을
해서 만든 게
국가라고?
망할 홉스
녀석!

의회파로부터도 배척을 받았어.
뭐? 군주가 절대적인
'공동의 힘' 을 가져야 한다고?
미친 것
아냐? 당신!
….

그래서 영국이 시민 전쟁 전후로
혼란스러울 때는
펑
와아

생명의 위협을 느껴 프랑스로
망명을 가기도 했지.
우선 살고
보자!
프랑스

자신이 원래 의도했던 바를
사람들이 이해하질 못하니
이 책은 금서가
되고도 마땅하지.

여러모로 불쌍하게 살았던 사람이야.
평화롭게
살자고 이러는
건데 내 주변엔
왜 이렇게
분쟁만
일어난담.

홉스가 태어난 해는 영국 역사에서
중요한 전환점이 되는 해였어.

영국의 위대한 여왕이던
엘리자베스 1세가

당시 최강대국이었던 에스파냐의 무적 함대를 격파해서
쾅
쾅

대서양의 지배권이 에스파냐에서 영국으로 넘어오던 때였거든.

홉스가 태어난 마을은 영국 서남부 맘즈베리 근처의 작은 마을 웨스트포트였는데
WESTPORT

에스파냐 함대가 침공한다는 소문에 사람들은 두려움에 떨고 있었어.
곧 에스파냐가 이리로 쳐들어 온대요.
아이고 무서워라!

그때 홉스의 어머니는 너무 놀란 나머지 임신 7개월 만에 조산을 하는데
뭐? 에스파냐 함선이 코 앞까지 왔다고?
으아아아~~

그 아들이 바로 홉스였어.
응애
응애

그래서 '나는 공포와 쌍둥이로 태어났다.' 라는 농담을 줄곧 했지.

홉스의 아버지는 영국 국교회의 질이 낮은 목사였는데
에… 그래서… 우리는…
여기 뭐라고 쓰여 있는 거야?

밤을 새워가며 카드놀이만 즐길 정도로 무능했어.
오늘도 기도문을 까먹었지 뭐야, 낄낄낄.

그러다 1603년 15세의 나이에 옥스퍼드 대학에
입학했어.

* 에우리피데스 Euripides – 고대 그리스의 3대 비극시인의 한 사람.

당시 대학은 과학 혁명의 변화에도 불구하고 기존의 스콜라 철학을 가르치고 있었어.
스콜라 철학에 대하여

이미 자연 과학이 싹트는 시대였기 때문에 생각이 깨인 다른 젊은이들과 마찬가지로
대학은 너무 보수적이야!
거의 모든 수업이 고리타분해.

홉스는 5년간의 대학 생활에 만족하지 못하고
아이 따분해!
하암

고전을 읽거나
책 읽는 게 그렇게 좋아요?

지도 가게에서 세계 지도를 보면서 시간을 보냈어.
미지의 땅이라고 표기된 지역은 어떤 곳일까?
아~ 세계를 여행하고 싶다!

하지만 문학과 언어에는 흥미를 보여 뛰어난 능력을 발휘했어.
리슨 앤 리핏. 봉쥬르 마담.
메르시 보끄.

그래서 프랑스 어와 이탈리아 어까지 유창하게 할 수 있게 되었지.
Bonjour madame, Comment allez-vous?
Tres bien, merci.

이렇게 문학적 소양과 탁월한 외국어 능력은 홉스를 출세의 길로 이끌었어.
출세
문학적 소양
외국어 능력

귀족들은 타고난 신분 때문에 그 지위에 있게 된 것이지, 반드시 뛰어난 사람들은 아니었기 때문에

자신들을 대신해서 품위 있게 편지를 써주고
이렇게 써줘,
너 잘난 척 좀 하지 마!
그대의 박학다식함에 나는 감탄을 금할 길 없었소.

외국의 명사들과 만날 때 통역을 해줄 비서가 필요했거든.
저기… 나 급한데….
Ousont les toilettes? (우 쏭 레 뜨와레뜨?)

또한 자기 자식들에게 문학과 외국어를 가르쳐 줄 교사도 필요했어.

똑똑한 홉스는 졸업하던 해, 학교장의 추천으로 카벤디시 가문의 가정 교사가 되었어.
내 아들 윌리엄을 부탁하네.

이때부터 시작된 홉스와 카벤디시 가문의 인연은 홉스가 죽을 때까지 계속돼.
덜컹
덜컹

귀족이고 부자인 카벤디시 가문에서

홉스는 왕, 의원들 그리고 부유한 영주들이 활동하는 사회에 발을 디디게 된 거야.
이 사람이 윌리엄의 가정 교사로 들어온 홉스네.

이곳에서 홉스는 현실 정치에 대한 정보를 얻고
웅성 웅성

유력 정치인, 귀족들과 교류를 할 수 있었지.
오, 자네가 홉스로구만.

백작은 홉스의 재치, 근면, 유머를 좋아했고 그의 평생의 후원자가 되었어.
그때 제가 말했죠.
교황이 배가 고팠나?
낄낄.

게다가 백작의 저택에는 대학 도서관 못지 않은 많은 책들이 있어서

홉스는 마음껏 공부할 수가 있었지.
행복하구나!

1614년, 홉스는 자신의 제자인 윌리엄과 유럽 대륙을 여행하게 돼.

당시 귀족 자제들 사이에서 유럽 국가들을 여행하며 견문을 넓히고
영국 신사가 되기 위한 필수 코스!

*투키디데스 Thukydides – 그리스의 장군이었으나 추방당해 망명 생활을 하며 《펠로폰네소스 전쟁사》를 썼다.

영어로 번역하여 출판하게 되지.
부제는 '아테네와 스파르타의 20년에 이르는 대전쟁' 이야.

홉스가 이 책을 번역한 이유는 아마 기원전 5세기의 그리스와
퍽
퍽

17세기 영국이 유사하다고 생각했기 때문일 거야.
꽈당
빠악
퍽

이 책을 통해 홉스는 대중 선동가의 말을 듣기 좋아하는 영국 사람들에게 경고하고 싶었던 거야.
이 싸움에서 승리하면 우리는 영원한 평화를 얻게 됩니다!
와아—

1618년, 홉스는 철학자 베이컨과 교류하면서
'아는 것이 힘이다.' 라는 말로 유명하지!

베이컨의 개인 비서 일을 하게 돼.
내가 영어로 쓴 이 에세이를 라틴 어로 번역해 주게.
에세이

베이컨은, 홉스를 어떻게 생각하는지 들어볼까?
그는 내 철학을 이해할 수 있는 몇 안 되는 사람 중 하나였지.
나는 과격한 경험주의자였고, 홉스는 철저한 합리주의자이긴 했지만 말이야.

그들은 함께 산책하며 대화하는 것을 즐겼는데
왜 사람들은 점성술 같은 미신에 빠지는 거지?
그러게 말이죠.

둘은 아리스토텔레스의 철학이 곧 망할 거라는 데 동의했고
그의 이론은 검증될 수 없는 것들뿐이에요.
이론은 명료하고 정확해야 해!

'지식이 힘' 이라는 생각에도 서로 일치하고 있었어.

그들의 교류는 1626년 베이컨이 죽을 때까지 계속되었어.
흑
베이컨
1561~
1626

홉스는 자신의 첫 제자인 윌리엄이
43세의 젊은 나이로 죽자

카벤디시 가문을 떠나
게바스 클리프톤 경의 아들을
가르치게 돼.
오늘부터 네
선생님이시다.

당시 무장이던 백작은

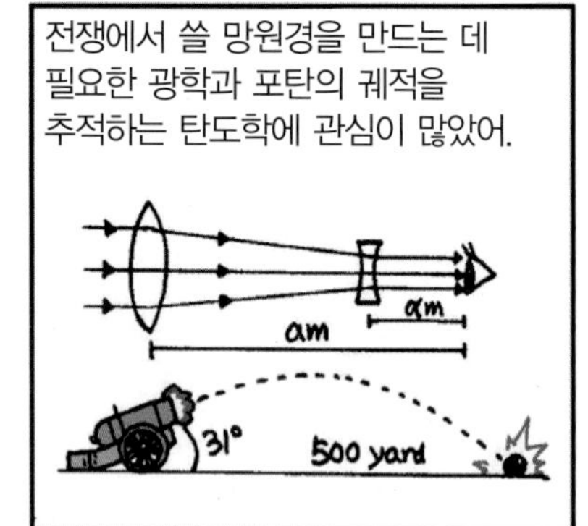
전쟁에서 쓸 망원경을 만드는 데
필요한 광학과 포탄의 궤적을
추적하는 탄도학에 관심이 많았어.
am
αm
31°
500 yard

홉스는 주인을 좇아 다양한
자연과학 서적을 읽고, 큰 관심을
가지게 되었지.
관찰과
실험이라….

1629년, 홉스는 클리프톤 경의
아들과 두 번째 유럽 여행을
떠나게 돼.
다녀올게요!
홉스 선생, 많이
가르쳐 주게.

이 여행 중 홉스는 어느 신사의
집을 방문해서 우연히 유클리드의
《기하학》을 발견했어.
흠~ 훌륭한 장서들이
많이 있군요.
기하학
유클리드 저

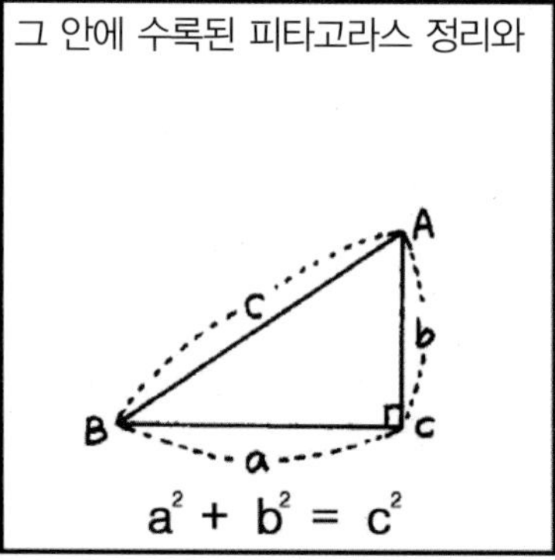
그 안에 수록된 피타고라스 정리와
A
B
C
a
b
c
$a^2 + b^2 = c^2$

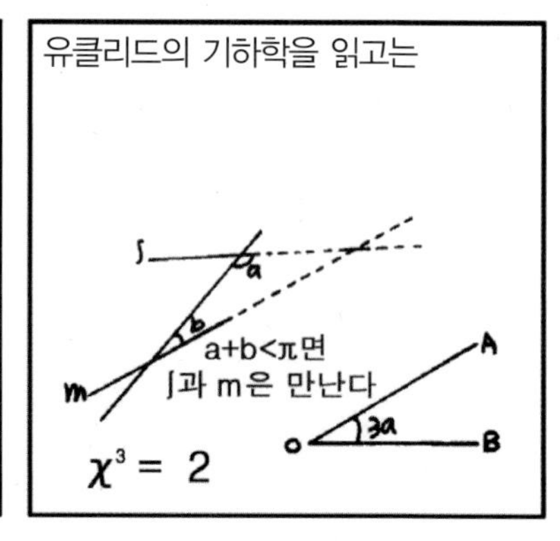
유클리드의 기하학을 읽고는
a+b<π면
l과 m은 만난다
$\chi^3 = 2$
A
O
B
3a

기하학적 추론과 과학적인
증명 방법에 매료되었어.
저기… 식사 준비가
다 되었는데….

기하학은 영어로 geometry라고
하는데 geo는 토지를, metry는
측량을 뜻해.
metry
geo

기하학은 고대 이집트 인들이
나일 강이 홍수로 범람한 후에
쏴아

토지를 적절하게 재분배하기 위해 측량술을
발전시키면서 나왔어.

경험주의적이던 이집트의 도형에 관한 지식이
그리스로 전파되자
그리스
이집트

그리스 인들은 이것을 추상적인 사고 방식에 적용하여
더 발전시켜서 탈레스와 피타고라스를 거쳐 유클리드에 의해
그 체계가 집대성되었어.

유클리드의 《기하학》은 홉스의 철학에
중요한 전환을 가져오게 했어.
이런 식으로 사회 전체를 이해할 수 있다면 얼마나 좋을까!

1630년 유럽 여행을 마친 홉스는 다시
카벤디시 가문으로 돌아와서
돌아왔습니다.
잘 돌아왔소, 홉스.

그 집안의 손자 윌리엄 3세의
가정 교사가 되었어.

그리고 1634년, 윌리엄의
가정 교사로서 또 한번의
유럽 여행을 하게 되지.

아는 것도 많았지만
시
수사학
논리학
문법
대수학
작문
지리학

외국어에도 능통했던 홉스는

귀족 자제들의 여행 가이드로
유럽을 자주 여행할 수 있었어.
여기서 30분간 자유 시간 드립니다.

*메르센 1588~1648 – 프랑스의 물리학자, 수학자. 대표작으로 《우주의 조화》가 있다.

여기에서 좋은 친구
피에르 가상디를 만났어.

그리고 평생 앙숙이 되는
데카르트도 만나게 되지.
'나는 생각한다 고로 존재한다.'는 말로 유명하지!

둘은 서로를 못마땅해 했어.
마음에 안 드는 녀석이군!

데카르트가 비물질적인 영혼이
존재한다고 생각한 반면
자넨 영혼을 믿나?
그게 무슨 뚱딴지 같은 소린가?

홉스는 그렇지 않았던 거야.
정신과 물질, 두 가지가 세상의 근본이야!
물질만이 실체로서 존재한다네!

그렇지만 이 둘이 서로 싫어하게
된 것은 둘이 너무 닮았기
때문이야.
꼭 비슷비슷한 사람들끼리 싸우더라고!
하
하
하

데카르트의 영혼에 대한 강조를 제외하면
두 사람의 철학은 많은 부분 일치하고 있거든.
大同小異로다
대동소이

둘은 모두 세계를 기계적으로 설명하려 했고,
보편적인 가치관들을 세우는 데 열중해 있었어.
이번엔 빛의 본질과 광학에 대해 연구해야지!
뚝뚝
사사삭

메르센의 서재에서는
여러 과학자와 사상가가 모여서

항상 새로운 연구에 관한 보고가
들어오고, 토의되곤 해서
나는 관성에 대해 다음과 같은 실험을 하기로 했소.

홉스는 파리에 머무는 동안
매일같이 그곳을 방문했어.
오늘도 출첵!
쾅

1640년 영국의 정치 상황은 왕당파와
의회파 간의 충돌이 격심해지면서
감히 왕에게 대적하다니!
왕이 나라를 말아 먹고 있지 않소!

청교도 혁명을 향해 치닫게 되었어.
와아

이 시기에 홉스는 《법의 기초》를
출간했고
BOOK
법의기초
출간기념
10% 적립!

사람들이 이것을 읽기 시작했어.

이 책의 정치 부분은 이론적으로
절대 통치권을 지지하며
[강력한 권한을 행사하는
통치자가 필요하다.]

군주제에 대한 강한 선호를
주장하고 있었어.

때문에 영국 의회의 영향력 있는 많은 의원들이 홉스에게
불만을 가지게 되었던 거야.
왕의 힘이 커져야 한다면
우리 의회의 힘은 약해져야 한다는 소리가 아닌가.
이런 쓸데없는 책을 쓰다니….

1640년 의회가 소집되고 왕당파와
의회파 간에 불붙듯이 분열이 일어나면서
와~
우당탕

홉스는 왕당파인 자신의 신변에
위협을 느끼고
벌떡
헉!

겁쟁이라는 비난을 감수하면서
딱
안 들려~ 안 들려.

파리로 도망을
갔어.
안녕, 영국이여~
철썩

1642년, 홉스는 파리에서 《시민론》을 출간하게 되는데 이 책은 1655년 출간된 《물체론》, 1658년 출간된 《인간론》과 함께 홉스의 3부작으로 일컬어지고 있어.

나는 찰스 1세를 죽인 크롬웰인데? 너는 왕당파였잖아?
충성 서약을 하면 되는 거죠? 도장은 여기다 찍으면 되는 거예요?

영국으로 돌아온 후에도
집에 왔다~ 이제 좀 편하게 지내볼….
쨍그랑
헉!

그의 과학적이고 영혼을 무시하는 사상은 늘 강력한 종교 지도자들과 논쟁을 일으켰어.
웅성 웅성

1660년 크롬웰의 공화정이 무너지고
크롬웰이 죽었대!
그럼, 이제 어떻게 되는 거야?

영국은 다시 왕이 다스리는 나라가 되었어.
철썩

홉스는 귀국하는 찰스 2세를 궁정 문 앞에서 반가이 맞았어.
와아
찰스 2세 만세!

헉! 아저씨는 크롬웰한테 갔었잖아요!
찰스 2세가 혼내려고 하진 않았어요?

궁중 내의 적대적 분위기에도 불구하고 찰스 2세 자신은 홉스를 냉담하게 대하지 않았어.
오, 홉스. 잘 지냈소?

찰스 2세는 재치와 기지가 넘치는 홉스와 얘기하기를 아주 좋아했거든.
자네에게 '곰'이라는 별명을 붙이겠네!

홉스가 너무 지조 없어 보인다고?
저 녀석, 크롬웰한테 붙어 있더니….
간에 붙었다 쓸개에 붙었다 하는군.

아니야. 홉스는 평화를 위해서는 어떤 군주에게라도 복종해야 한다는 자신의 신념대로 행동한 거야.
우쭐

물론, 겁이 좀 많은 사람이기도 했지.
히히!
나도 죽는 건 싫어요, 히히!

그러던 중 1666년 런던 전체를
아비규환으로 몰아넣는 대화재가
발생하고
활활

전염병이 만연하면서
시체는 빨리 빨리
내다버리게.
병상이 모자라!

사회가 어수선해졌어.
휘이잉

사람들은 이런 일이 일어나는
이유를 알려고 노력했고
대체 왜
이런 일이!

성직자와 신도들은 이 재난의
원인을 하느님의 심판에서
찾으려고 했어.
벌입니다!
하느님의
벌이에요!

하느님을 모독하는
것들을 없애라!!
불경스런 것들을
멀리하자!!

결국 영국 의회가 무신론과 신성 모독을 반대하는 법안을 제정하면서
《리바이어던》은 하느님을 부정하는 책으로 지목되고

금서가 되었던 거야.
《리바이어던》의 출판,
판매를 금지한다!!
땅 땅

그러나 사실은 그 반대였어.
아무도 내 진심을
몰라주는구나….

홉스는 죽을 때까지 신자였고
나는 무신론자가
아니야.
하지만 교회도
잘못된 부분은
고쳐야 하지.

《리바이어던》 역시 성경이
주장하는 거의 모든 것을 인정하고
있었어.
그렇지만 종종 잘못 해석
되어지는 것은 사실이잖아.
성경

이 당시 홉스의 명성은 국제 과학계에서 아주 드높았어.
영국의 홉스라는 사람 알아?
모르는 사람이 어디 있어!

그런데도 홉스는 영국 왕립 협회의 회원이 되지 못했어.
홉스의 사상은 항상 논쟁거리가 돼.
똑똑하지만 좀 골치 아픈 사람이야.
영국 왕립 학사원

1673년 85세가 된 홉스는 사람들과 논쟁하는 것에
헉
헉
저기… 내 말은….

지칠 대로 지쳐 있었어.
아이고… 나는 평화를 사랑하는 사람인데 이게 뭐람!

그래서 그의 젊은 시절 취미 생활이었던 번역을 다시 하게 되었어.
어떻게 번역이 취미 생활인가요? 나는 영어 공부가 싫은데, 히히!

그래서 호메로스의 《일리아드》와 《오디세이》를 번역하여 출판하게 되었지.
일리아드
오디세이

홉스는 '아무 할 일이 없어서' 다시 번역을 하게 됐다고 말했는데

또한 이 번역서들이 자신의 다른 작품을 적대시하던 사람들을
수군
수군
홉스의 책은 모두 위험하대.

조금이라도 안심시킨다고 생각했기 때문이기도 했대.
이 책들은 위험해 보이지 않는데?
홉스가 이제 정신을 차렸나 보군.
흠..

1674년 홉스는 런던을 떠나서 카벤디시 가문의 저택에 머물게 되었어.

홉스는 건강에 신경을 많이 쓴 사람이야.
휙
휙
하나
둘

장시간 걷기, 마사지 받기, 따뜻한 옷 입기 그리고 테니스 치기를 75세까지 했대.
어이구, 시원해라!
내복 두 벌, 셔츠, 조끼, 재킷에 코트! 6벌을 겹쳐 입었지!
팡

한마디로 웰빙의 원조라고 할 수 있지!
WELL-BEING

그것뿐이야? 노년의 홉스는 밤마다 노래를 부르고
아 아 아 아
쨍그랑

생선을 먹고 와인을 챙겨 마시고
생선엔 DHA가 많이 들어 있고 와인에는 폴리페놀이….
그 시대에 무슨!

독신으로 살았지만
당시 귀족들의 비서나 가정 교사로 들어가는 사람들은 독신이 많았어.
여자들이 싫어했던 건 아니고요?

90세에 한 여인에게 연애 편지를 쓸 정도로 열정이 있었어.
내 비록 지금은 나이 90을 넘어 늙었지만 큐피드의 길로 나아가길 기대하노라.
아야야…

이것이 그가 당시로서는 예외적으로 91세까지 살면서

죽는 날까지 멈추지 않고 책을 쓸 수 있었던 비결일 거야.
은퇴할 나이가 한참 지났는데도 정정하게 글을 쓰시네.

1679년 가을, 홉스는 큰 병에 걸렸어.
아이고~

그해 11월 카벤디시 가문은 이사를 가게 되었는데
몸이 이렇게 안 좋은데 자네는 여기 남게나.
하인들이 남아서 돌봐줄 걸세.

홉스는 아픈 몸을 이끌고 우겨서 따라갔어.
마지막까지 내게 기회를 준 이 가문과의 인연을 지키고 싶습니다.

결국 며칠 뒤 홉스는 평화롭게 세상을 떠났어.
여기 오랜 세월 두 명의 카벤디시 백작을 모셨던 맘즈베리의 토마스 홉스의 뼈가 묻혀 있다. 그는 유덕한 사람이었으며, 학문에 대한 그의 명성은 국내외에 잘 알려져 있다.

홉스는 탁월하고 학식 있는 친구들도 있었지만 주변에 적도 많았어.
하하하

당시 사람들로부터도 극단적인 평가를 받았지.
불경한 무신론자 녀석!
맘즈베리의 악마!
영국 최고의 철학가!
새로운 철학의 땅을 개척한 콜럼버스!

홉스가 살아 있을 당시에도 그의 철학을 추종하는 사람들을 '호비스트'라 불렀는데
이 말에는 가시가 있지.
후~

홉스의 사상이 아주 위험하고 해로우며 전통을 무시하는 것이라는 오해 속에서 나온 말이야.
눈도 감아라! 홉스의 사상은 불순하기 그지 없단다.

스콜라 철학에 대한 부정,
스콜라 철학의 기초..
그건 아니지.

국가와 국민의 새로운 관계 정립,
내 왕권은 신으로부터 나왔다!
그것도 아니지.

그리고 성서에 대한 비판적인 해석 등은
주님은 마귀로부터 우리를 구원하시기 위하여….
저것도 아니고.
No

그 당시로는 상당히 도발적인 것이어서 영국의 대학, 교회는 홉스의 철학을 아주 싫어했거든.
홉스 이 녀석….
걸리기만 해봐라….

홉스주의자라는 이유만으로 교수 자리를 박탈당하기도 하고
저는 호비스트가 아…아…아니에요.
얘나 봐!
팍

심지어 홉스주의자로 몰려
자살하는 사람도 있었어.

그래서 홉스 철학에 우호적이고
그를 지지했던 사람들조차도
끄덕
모두 맞는 말이야~
리바이어던

자신들이 호비스트라고 불리기를
원하지 않았어.
사삭
《리바이어던》?
그…그런 책을 읽으면 안 되지!
리바이어던

홉스가 죽은 후에도 옥스퍼드 대학에
의해 비난을 받는 등,
이 책들은 선동적이고 무신론을 주장하는 아주 위험한 책입니다. 금서로 지정됨이 마땅하지요.
시민론
리바이어던

그의 책들은 계속 논쟁의 대상이
되었어.
죽어서도 시끄럽네….

그러나 반세기가 지나지도 않아
홉스의 사상은 존중되기
시작하고
시대를 앞서가서 외로운 사람이었어.

후대의 유명한 철학가들이 그의 사상에
영향을 받았지.
로크
루소
스피노자

생동감 넘치는 표현들! 탄탄하고 일관된 논리! 방대한 규모의 체제, 이 모든 것을 떠받치는 학식과 정신력! 이것이 바로 2000년 서양 철학사가 남긴 대저 중 하나로 오늘날까지 커다란 영향력을 행사하는 철학 서적 《리바이어던》!
리바이어던
자기 입으로 저런 말을 하다니!

이제, 《리바이어던》 본문의 내용을 알아볼까?
《리바이어던》 본문 속으로 고고! 고고!
리바이어던
내 얘기가 아니라 남들이….

제3장
홉스의 인간론은 어떤 내용일까?

언어에 대하여
어떤 것이 가장 위대한 발명일까?
로봇?

홉스는 인쇄술의 발명도 천재적이긴 하지만

언어의 발명과 비교하면 대단한 것이 못된다고 했어.
그 사과 좀 나에게 나누어줘.
예쁘고 향기로운 꽃이구나!
네가 잘못한 것 같은데….
중얼 중얼

인간이 만든 모든 것 중에서

가장 고귀하고 유익한 발명은
반짝

'이름' 또는 '명칭'과
아버지
다리
교회

이것들의 결합으로 이루어진
언어의 발명이라는 거야.
아버지는?
아버지는 다리를
건너 교회에
가셨어요.

언어로 인하여 사람들은 자신들의
생각을 기록할 수 있었고
오늘도 비가
많이 오네.
하루 종일
내릴 기세군.
쏴아

지나간 것이 되었을 때
기억해 낼 수 있었으며
작년에 비가 많이 와서
징검다리가 물에 잠겼지.
그래서 시장조차
갈 수가 없었잖아.

서로의 생각을 말해서
쏴아아
무슨 방법이
없을까?
징검다리는
노인들이 건너기에는
불편한데….

유익한 대화를 할 수 있게
되었거든.
다리를 짓자!
좋은 생각이야!
짝!

언어를 통해서 한 사람은 다른
사람을 가르칠 수 있어.

즉 자신의 지식을 다른 사람에게 가르칠 수 있고,
지금처럼 제비가 낮게 날고,
물고기가 수면으로 올라와 뻐끔대면
장마가 시작되기 일쑤네.
오~ 그런가?
팍
퐁

경고를 할 수도,
탁
비올때 낙석주의!
돌아서 가시오!

충고를 할 수도 있지.
오늘은 세차 안 하는
게 나을 텐데….
?

홉스는 의사 소통을 통해
호호
시끌

선하고 훌륭한 것은
더 커진다고 했어.
빵
빵

특히 명령을 내릴 수 있고 그 명령을 이해할 수 있는 것,
이것이 언어가 주는 최상의 혜택이라고 했지.
돌격!!
두두두

홉스는 사람들 사이에 언어가 없으면
오늘만 쓰고 돌려줄게.
턱

계약도, 평화도, 국가도 없으며
아웅다웅
사삭

사자나 늑대 같은 동물들의 세계와
다를 바 없을 거라고 생각했어.
크르르
퍽

언어라는 매개를 통해서만
언어

개인과 개인 사이,
어제 또 외적이 쳐들어왔다며!
불안해서 살 수가 있나.

나아가 통치자와 백성들 간에
계속해서 외적이 침입합니다.

올바른 관계 형성을 위한 대화를
할 수 있고
좋다, 성벽을 높이 쌓아야겠다.
일꾼들을 모아라.

이를 통해 사회 계약을 맺을 수
있다고 본 거야.
대신 너희는 나를 위해 충성해라.
안전만 보장 해주십시오.

그렇지만 모든 대화가 유익한 것은 아니야.
도대체, 말이 통해야 말이지!

합리적인 대화를 위해서는 정확하고 약속된 언어의 사용이 요구돼.
나무
나무
바구니
빠르다
공정적인
예쁜
상당히

하지만 무의미한 말들도 있는데
그런 말들을 늘어놓느니 차라리 입을 다무는 게 나아.

새로운 말이나
이런 현상을 '삐롱삐롱' 이라고 부르는 게 어때?
그거 괜찮군!
콰광

아직 그 의미가 설명되지 않은 말이나
쿵
어젯밤 삐롱삐롱 때문에 제대로 못 잤어.
?

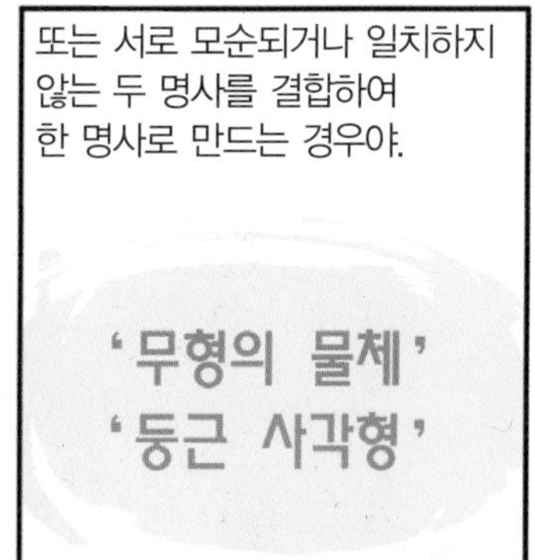

또는 서로 모순되거나 일치하지 않는 두 명사를 결합하여 한 명사로 만드는 경우야.
'무형의 물체'
'둥근 사각형'

스콜라 학자들이 저런 말을 잘 하지.

모든 사람이 한 사물에 대해 같은 감정이 일어나는 것도 아니고,
덜덜
왈~

같은 사람이라고 항상 같은 감정이 일어나는 것도 아니야.
저리 가, 귀찮아!
어젠 귀여워 죽더니만….
휙

그래서 우리를 유쾌하게 만들거나
아이스크림
강아지
꽃
텔레비전

불쾌하게 만드는 사물들의 이름은 그 뜻이 한결같지 않아.
생선 비린내
폭탄
강아지
인간이란….

우리가 지각하는 사물의 성질이 같다고 하더라도

여러 가지 체질이나 편견 때문에
고양이는 도도해서 더 예쁜 것 같아!
고양이는 목숨이 아홉 개라지?
나는 고양이 털 알레르기가 있어.
냐옹~
에취~

사람들마다 생각하는 바가 다르지.
고양이는 원한을 사면 복수를 한다는데….
저리 좀 치워!

언어에 주의하지 않으면 어떻게 될까?
마치 악마가 들어 있는 듯 포악하게 그르렁대는 털북숭이여!
왈~왈~

호랑이? 괴물?
마귀다! 마귀를 얘기하는 게 틀림없어!

이처럼 추리를 할 때 사람들은 신중하게 언어를 선택해야 해.
이렇게 조그만 강아지를!
데구르르
수난의 날이군….

홉스는 스콜라 철학자와
붉은 청해에 빠져, 향기로운 악취를 풍기며 죽어도 살아 숨쉬는….
무슨 소리야

타락한 신학자, 정치가들은 언어를 잘못 사용하여
사악한 마귀의 손아귀에서 벗어나기 위해서는!
또 내 얘긴가?

도덕과 정치의 세계에
우리를 구원해 주십시오!

나쁜 영향을 주는 사람들이라고 했어.
의미 없는 말장난만 하고 있구먼.

힘, 가치, 존엄, 명예
그리고 적절성에 대하여
와아
와
와

과학자들이 세계를 움직이는
에너지를 분석하듯이

홉스는 국가를 통치하는 데 근본이
되는 힘을 분석하고 있어.
그 시대에
컴퓨터가 어디
있어요!

그는 가장 위대한 힘이 국가의
힘이라고 보았고
국가

그 힘은 사람들 간의 동의에
근거해야 한다고 보았어.
국가
후!
후!

그리고 통치자가 행사할 수 있는
힘은 그 자신이 결정하는 게 아니라
흠냐~
내 힘은
여기까지!
끄기
억

통치를 받는 백성들의 동의로
통치자에게 부여하는 것이란 거지.
아니죠,
군주님의 힘은
여기까~지.
엥?!

더구나 홉스는 시장에서 물건을
사고 파는 것에
싸요,
싸!

사람의 가치를 비유하고 있어.
우아~ 비인간적이야.

물건을 파는 사람이 아니라
얼마예요?
10달러 주세요.

사는 사람이 가격을 결정하듯이
비싸요!
8달러!
6달러!
아니, 3달러
1달러!
휙

통치자의 권한과 역할도 통치를 받는 사람들이 동의해서
받아들일 때 성립되는 것으로 본 거야.
왕은 위험 상황일 때 군대를 소집할 수 있고 세금을 걷을 수도 있다.
그러나 정당한 이유 없이 민간인을 투옥시킬 수 없고….
쩝.

홉스는 사람의 힘이란
미래에 좋은 것을 획득하기 위해
끙….

현재 사용할 수 있는 수단으로,
근원적 힘과 도구적 힘이 있다고
보았어.

근원적 힘은 몸과 정신의
탁월함으로 강인함,

신중함,
지형상 적군이 매복해 있을 가능성이 높다. 돌아가자!

웅변, 고상함 같은 것이고
나를 따르라, 승리를 쟁취하자!
와
장군님 만세!

도구적 힘은 근원적 힘이나
행운에 의해 얻어지는 부, 명예,
이번에도 잘 싸워줬소.
영광입니다.

부하나 친구들 같은 것이야.
와아

부하들을 거느리고 친구를 사귀는 것도
힘이고
결혼식 때 마이클 잭슨이 왔다지!
대단한 사람이구만.

관용과 결합된 재산도 힘이
되지. 왜냐하면 그것들은 부하들과
친구들을 가져오기 때문이야.

관용이 없이 재산만 있어서는 안 돼.
누구든지 내 돈에 손만 대봐라.

관용이 없으면 아무도 오지 않을 테니까 말이야.
이 집은 두드릴 것도 없지!

힘이 있다는 평판도 힘이 돼.
저 장군은 한 칼에 여덟을 벤다지?
저 말은 하룻밤에 천 리를 간다는군.
쫑긋!

보호를 필요로 하는 사람들을 끌어모으기 때문이지.
장군님,
거두어 주십시오!

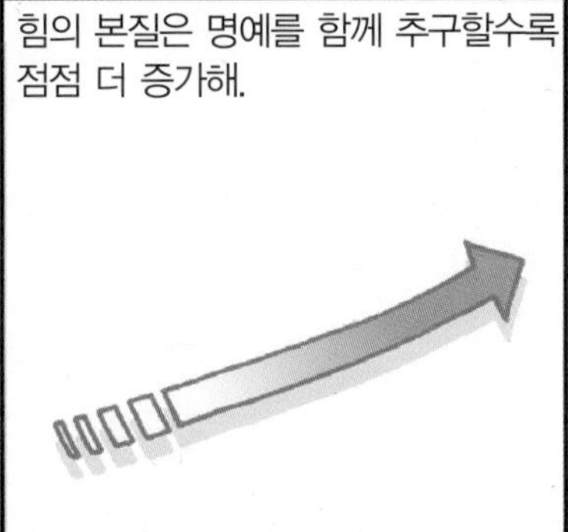
힘의 본질은 명예를 함께 추구할수록 점점 더 증가해.

무거운 물체의 운동에 가속도가 붙으면 진행속도가 빨라지는 것처럼 말이야.
쓰이잉

그중에서 가장 위대한 것이 국가의 힘이야.
국가의 힘은 대부분 사람들의 힘이 결합된 것이거든.

사람의 가치라는 것은 그의 값을 의미하는 거야.
희망소비자가격
$ 100,000

즉 그가 가진 힘의 효용만큼이 주어진 가격이야.
칼 좀 내려놓으면 안 될까요? 무거워서….
넌 0원!

그러므로 그것은 절대적이지 않아. 예를 들어볼까?
물1병
$100
아껴 마시고 반 병은 나중에 팔자.

사막에서는 비싼 물이라도 물이 흔한 도시에 가면 굉장히 싸지게 마련이지.
이럴 수가!
괜히 아껴 마셨잖아!
물1병
1달러

물건의 가격은 다른 사람의 필요와 판단에 의존하는 거야.
그렇지만 모자에 달린 그 사막 선인장 꽃은 아주 예쁘구먼!
여기선 볼 수 없는 꽃이야! 50달러에 사겠네.
물1병 1달러
70달러!

사람의 가치도 물이나 선인장 꽃과 마찬가지야.

강한 군대의 지휘관은

전쟁시에는 큰 가치가 있지만
저희 도시로 와주십시오.
저희 도시로 와주세요.

평화시에는 그렇지 못하지.
거기, 좀 비키쇼!
럭

마찬가지로 학식 있고 정직한 판사는

평화시에는 가치가 있지만
저희 문제 좀 해결해 주세요.
이건 어떻게 나눠야 공정한가요?

전쟁시에는 그렇지 못한 거야.
칼 쥐는 법도 모르나!
퍽

대부분의 사람들은 자신에게 최대한의 가치를 매기려고 하지만
50
80
75
100

그들의 진정한 가치는 다른 사람에 의해 인정되는 정도를 넘을 수가 없는 거야.
휘이잉
50

존엄은 사람의 공적인 가치, 즉 국가에 의해 정해진 가치를 의미해.
스미스
토머스

국가에 의한 이 가치는 명령의 수행,
FBI에서 나왔습니다. 함께 가 주시죠.
척
FBI

사법의 집행,
고로 피고인을 징역 10년에 처한다!
땅
땅
땅
땅

그리고 공적 직책 혹은 그런 직책을 구별하기 위해 소개된 호칭과 명칭에 의해 인정이 되고 있지.
경보병
석궁병
중장 보병장
총사령관
사무장

명예라는 것은 어떤 종류든지 누군가가 도움을 청할 때 생기는 거야.
장군님!
장군님!
쾅
쾅

왜냐하면 그가 도움을 줄 수 있다는 것은 힘이 있다는 표시이기 때문이지.

그 도움이 어려운 것일수록
장군님, 적군을 막아주십시오.

더 명예가 있는 것이지.
출격하라!

사람들로 하여금 복종하게 하는 것은 명예로운 것이야.

어떤 사람이 도움을 줄 수 없거나
흉년이 들어서 우리 식구 먹을 것도 없네.

해롭게 할 힘이 없다고 생각할 때에는
아들아, 이제부터 네가 왕이다.
흑
부들부들

아무도 그에게 복종하지 않을 것이기 때문이야.
얘, 이리 와서 이거 맛 좀 보렴.

마지막으로 적절성은 가치가 있는 특별한 능력이야.

만일 어떤 사람이 군사령관에 가장 적절하다는 것은

그 사람이 군대를 이끌 지휘 능력이 뛰어나다는 거야.
돌격!
와
와

문학적인 소양이 부족해도 상관없어.
오, 셰익스피어!
그 유명한 영화 배우 말이지!

또 누군가 판사에 가장 적절하다는 것은

그 사람이 공정하고 신중하며 판단력이 뛰어나다는 얘기지.
고로, 너에게.
징역 10년형을 선고한다.
헉

비록 힘이 없고, 말 타는 방법도 모른다고 해도 말이야.
쿵
어이쿠!

따라서 어떤 자질이 부족하다고 하더라도
너는 왜 이렇게 수학 문제를 못 푸니!!

다른 것에서는 가치 있는 사람일 수 있는 거야.
훌륭한 그림이구나!
쓱쓱
!

인간과 종교에
대하여

종교는 사람에게만 존재해.
뭐 하는 거람?

신 또는 눈에 보이지 않는 힘,

그리고 초자연적인 것에 대한
생각은
쩌
억

인간의 본성 중에 하나야.
이걸 만들면 아이를
많이 낳을 수 있을 거야!

사람들은 행운과 불운의 원인을
탐구하는 일에
보, 복권에 당첨됐다!!
어젯밤에 돼지꿈을
꾸더니!
검은 고양이
잖아! 안 좋은
일이 일어날 게
틀림없어….
복권

아주 많은 호기심을 가지고 있지.
해몽
대사전

저는 시험날
쓰레기차를 연속해서
3대 보면 시험을
아주 잘 봐요.
하
하
공부를 못한다는
소리군.

어떤 일이 일어날 때
이유를 알 수 없거나
쿠
쾅
대체 왜 저런
일이 생긴 걸까?

미래에 대한 지속적인 두려움은
계속 가뭄이구나.
언제까지 비가
안 오려나?

어떤 대상을 필요로 하지.
비가 오게
해 주세요.

그래서 무한하고 전능한 신을
쉽게 인정하게 만들어.
쿠쿵
신의 분노다!
다다

홉스는 사람들의 환상이나 환영,
오…오아시스다!
신기루

그리고 꿈 따위는
꿈에 조상님이
나타나서
1, 5, 17, 32,
40, 43이 당첨
번호라고~ 히히!
복권

사실에 기반을 두고 있지
않다고 했어.
이럴 수가….
복권

무지한 사람들은 마녀, 유령 등의 마력이 재난을 가져온다는
그릇된 믿음을 가지고 있어.

그걸 아는 악한 사람들은
으아아~
유령이다~.

마녀나 유령들이 실재하지 않는 걸
알면서도
내가 흔들고
있지롱~.

이런 무지한 사람들의 약점을
잡고는
이 집에 불길한
기운이 있네요.
똑
똑

자신들의 목적을 위하여 이용하지.
운이 좋으셨어요.
지금은 악령 퇴치
물품 30% 세일
기간이거든요.

이 신성한 성수가
들어 있는 악령 안녕
스프레이 하나만
있으면 됩니다.
왜냐?
악령
안녕!

이 악인들의 핑계는 이거지!
하느님은 어떤 것도
하실 수 있기 때문입니다!

홉스는 이런 미신적인 두려움이
사라진다면
오늘의 운세

사람들이 시민적인 복종을 하기에
더 적합할 것이라고 여기고 있어.
성벽 공사날입니다! 나오세요!
미안하지만 안 되겠수! 오늘 내가 사고수가 있다고 그러네.

홉스는 종교의 목적은 본래

종교에 의존하는 사람들을
오늘도 감사하는 마음으로 최선을 다하여 보냅시다.

법, 평화, 시민 사회에

보다 잘 복종하게 만들려는 데
있다고 했어.
남의 것을 훔치면 벌을 받는다는데….
멈칫

하지만 성직자의 도덕적 타락은
앗! 사야 될 것은 많은데….

이 신년 헌금을 한 사람만 올 한 해가 잘 풀립니다!
신년헌금함

사람들의 신앙심을 타락시켰어.
내가 먼저야!
내가 더 많이 낼 거야!

홉스는 이 성직자들의 타락이
올 한 해는 내가 잘 풀리겠구먼, 낄낄!
호호

바로 종교가 변하는 공통된 원인이라고 했어.

자연 상태에
대하여
덜덜

자연 상태가 뭘까?
무정부 상태?

한번 상상해봐. 우리가 사는
대한민국을 이끄는 정부가 없다면
어떻게 될까?

우리를 지켜줄 국군도 없지.

여행할 때 여권은 어디에 가서
발급받지?
여권이 없으면
통과할 수 없소.
척

게다가 지켜야 할 법도 없어.
크크
신고할 데도 없으니…

우리는 국적이 없는 난민과 같은
신세인 거야.

맞아, 자연 상태란 바로 이런
상태라고 볼 수 있어.
안전이 보장되지
않는 상태로구나!

통치자와 통치를 받는 사람의 관계가
아직 정해지지 않은 상태라

이 상태에서는 오직 힘만이
정의가 되고
으하하하!
대들 수 있으면
대들어봐!

사람들은 자신의 판단만으로
살아가게 될 거야.
내가 이
도자기를 엄청
많이 갖고
싶었으니까
잘못한 건
아니야.

홉스는 인간이 자연 상태에서
평등하다고 간주하고 있어.

인간이 그 정신적, 신체적 관점에서 볼 때
서로 비슷하게 창조되었기 때문에

사람들 사이에 모든 면에서 큰 차이는
없다는 거야.
하긴 키가 10m가 넘고 아무리 맞아도 끄떡없는 데다 머리도 좋은 사람이 있으면 그 사람이 모든 걸 갖게 되겠지만

그런 사람은 어디에도 없어.

역설적으로 이 능력의 평등이
오히려 사람들에게는 위협이 돼.
퍽
내가 이겼다!
퍽
우씨!

자연적으로 타고난 승자도, 패자도 없는
상태에서
무슨 소리!
퍽
퍽

모든 사람이 자신들의 목표를
달성하려고 달려들게 되거든.
와아

그러므로 만약 어떤 두 사람이
같은 것을 가지길 원한다면
덜덜

둘 다를 만족시킬 수는 없게 되고
둘은 적이 되지.
퍽
에잇!

결국 자기 보존의 목적이나
아웅
다웅

때로는 향락을 목적으로
서로를 파괴하게 돼.
내 거야. 내놔!

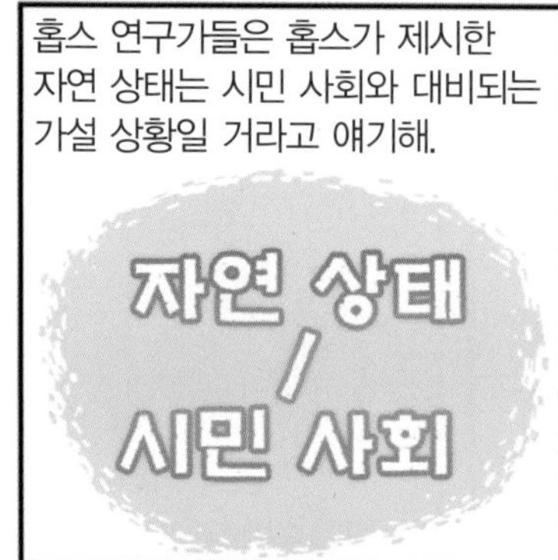

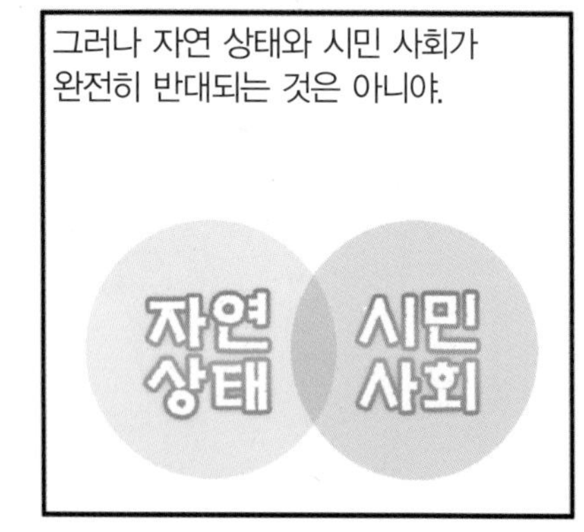

강대국들은 자신들에게 유리한 조건을 달아 어쩔 수 없이 계약을 맺어야 하는 약대국들을 강탈하고 있지.

수입 쌀이 들어오면 우리는 설 자리가 없어지는데….

그럼, 인간은 왜 이처럼 폭력적인
성향을 가지게 된 걸까?

그 답은 인간 본성에서
찾을 수 있어.

분쟁을 일으키는 원인에는
세 가지가 있는데
착

첫째는 경쟁심이야.
이리 내놔!
팍

경쟁심은 무엇인가를 얻기 위해
다른 사람을 공격하게 만들어.
우하하하!
흑

두 번째는 자신감의 결여야.
사삭
이걸 지켜야
하는데….

경쟁심으로 얻어낸 것을 지키기 위해
폭력을 일으키게 만들지.
두리번

자기 스스로 방어할 수 있는
능력이 없을 때
휙
어이, 자네!
뭐, 뭐야!

다른 사람을 믿지 못하게 되어
내가 뺏은
것처럼
너도 빼앗으려
했지?
팍

선수를 치기 위해 폭력을 사용하게
되는 거야.
이런!
우편 배달부였잖아!

셋째, 영광의 추구는
명성을 얻기 위해
사람을 공격하게 만들어.
와아

말이나 웃음,
돼지처럼 뚱뚱한 녀석.
너 지금 뭐라고 했어?

다른 의견 같은 사소한 것 때문에 폭력을 사용하게 돼.
그 브로치는 드레스에 별로 안 어울리는 것 같은데….
뭐얏?

그러면 자연 상태의 결과는 어떨까?
너 죽고 나 살자.
퍽

사람들은 자신의 힘에 의지해서 살아갈 수밖에 없고 어디에도 안전한 곳은 없을 거야.
휘
청

이런 상태에서는 노력의 성과가 확실하지 않기 때문에 노력할 이유도, 여유도 없게 돼.
덜덜

사람들은 곡식을 얻기 위해 땅을 경작하지 않을 거야.
밤새 지켜보지 않으면 누군가 베어 갈 게 뻔하지.

무역을 위해 항해하지 않을 테고
해적이 오든가 누군가 반란을 일으킬 게 틀림없어.

넓은 건물을 지을 수도 없을 거야.
내가 살게 된다는 보장이 없잖아?

여행을 할 때는 무장을 하고

잠을 잘 때는 문을 잠글 거야.

예술도, 문화도, 사회도 없을 거야.
휘이잉

무엇보다 가장 나쁜 것은 지속적인 두려움과
폭력적인 죽음에 대한 위협일 거야.
누군가 나를 죽일 거야….

결국 사람들의 삶은 고독하고,
불쌍하고,

험악하며 짧을 거야. 이것이 바로
내가 사는 게
사는 게 아니야.

만인에 대한 만인의 전쟁인 것이지.
내가 아닌 사람은
모두 적!

아이러니하게도 자기 보호와
완전히 반대인 자기 파괴가,
으….

자연 상태에서 존재하는 인간들의
마지막 비극적 결과인 거야.
으…나만 살려고 했더니
모두 죽는구나….

사람들은 그들 모두를 두렵게 만드는
공동의 힘이 없이는 '전쟁 상태'에
놓이게 되는 거지.

이 전쟁은 전투나 싸우는
행위뿐만 아니라
쿠쿠쿠

전쟁을 하겠다는 의지가 있는
상태까지도 포함하고 있어.
기회만 보이면
내가 공격하겠어!

냉전(cold war)이라는 말 들어봤지?
제2차 세계 대전
이후 미국과 소련이
냉전 상태였잖아!

맞아. 그러나 실제로 미국과
소련이 총을 쏘는 전쟁을
한 것은 아니야.

이런 긴장 상태도
도대체 언제 쳐들어 올지 알 수가 없군.

전쟁 상태의 연속이라고 볼 수가 있는 거야.
우리는 전혀 평화롭지 않았어.
그래서 이 상태를 '냉전' 이라 불렀지.

《리바이어던》에서 이미 "평화의 보장이 없는 모든 시간은 전쟁 상태로 간주된다."라고 얘기한 홉스 아저씨는 정말 시대를 앞서 간 사람이었군요!
험!

홉스는 인간이 본질적으로 이기적이고

자기 생명을 보호하기 위해서는 어떤 일도 할 수 있어서

때때로 공격적이고 파괴적인 행위를 하고,
헉!
빵

또한 모든 인간은 계속해서 권력을 추구하는 경향이 있는데 이것은 죽어야만 끝이 난다고 했어.
권력

그래서 자연 상태의 인간은 전쟁 상태에서 벗어날 수가 없는 거야.
쩝.

그러나 인간들의 본성이나 욕구, 그 자체는 죄가 되지 않아.
저놈만 없으면 내가 저 빵을 가질 수 있겠지?

그 본성이나 욕구에 이끌린 행동들도

그것이 법으로 금하고 있다는 것을 알기 전까지는 죄가 되지 않아.
푹

법이 만들어지기 전까지 사람들은 자신들의 행동이 죄인지 아닌지 알 수 없는 거야.
우리가 무슨 잘못을 했다는 거야?

그리고 사람들이 법을 만들자고 한 인격체에 동의하기 전까지는
저… 힘으로 빼앗지 말고 하루씩 돌려 쓰는 게 어때요?

법이 만들어질 수도 없겠지?
무슨 소리야!
힘도 없는 녀석이!

그러나! 이런 상태에서 빠져나올 수 있는 가능성 역시 사람의 본성에 있어.
이성

사람을 평화로 이끄는 열정은 죽음에 대한 공포야.
나는 주, 죽기 싫어!
크헉!

죽기 싫어하는 사람의 이성은 평화를 위한 법을 제안하는데 그것이 바로 자연법이야.
탁
자, 잠깐!

다행스럽게도 인간에게는 이성의 소리를 들을 수 있는 능력이
너나 나나 죽기 싫은 건 매한가지 아니냐?

선천적으로 있다고 홉스는 이야기하고 있어.
아저씨는 냉소적이긴 하지만 희망도 잃지 않았네요?
잘도 보았구나.

이성적인 인간은 권력의 욕망만을 추구하여 전쟁 상태에 머물러 있기 보다는
이건 아닌데….

이성의 소리에 귀를 기울임으로써
얘기를 좀 해보자.
그래. 둘 다 살 수 있는 방법을 생각해보자.

자기 파멸의 상태에서 벗어날 수 있다고 본 거야.
그럼 동시에 칼을 내려놓는 거야.

자연법에 대하여
제1 자연법
제2 자연법
제3 자연법
제4 자연법
제5 자연법
제6 자연법
제7 자연법
제8 자연법
제9 자연법
제10 자연법
제11 자연법
제12 자연법
제13 자연법
제14 자연법
제15 자연법
제16 자연법

자연법을 알려면 우선 자연권에 대해 알아야 해.
자연권?

자연권은 자신의 생명을 보존하기 위하여 원할 때는 폭력도 사용할 수 있는 자유야.
자연권
퍽

자신을 보호하기 위해서는 어떤 수단도 사용할 수 있는 권리지.

그러면 자연 상태에서는 나보다 힘 센 친구가 나를 괴롭히면
야 꼬맹이! 그 운동화 좋아 보이는데?

내가 돌멩이나 다른 무기를 사용해도 되는 것이 자연권이야?
빡

돌을 던지다니..
흐음~ 그건 정의롭지 않은 것 같은데….
헤헤

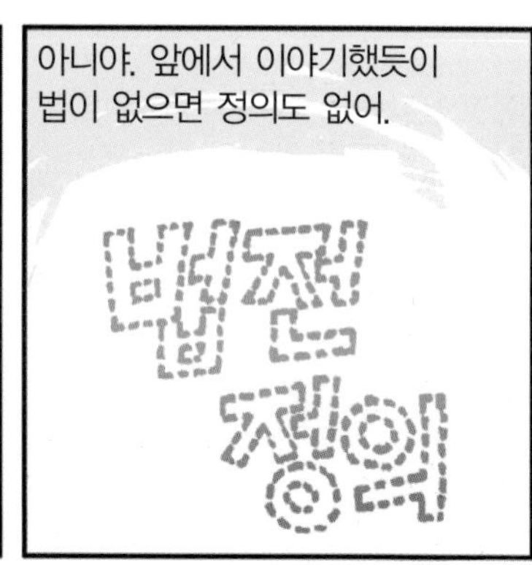
아니야. 앞에서 이야기했듯이 법이 없으면 정의도 없어.
법 정의

그러니까 법이 없는 상태에서 자신을 보호하기 위해 무기를 사용하는 것은
또 괴롭히기만 해 봐.

자연권이 되는 거야.
나는 나를 지키기 위해서는 뭐든지 할 수 있어!
착

그러나 이런 자연권만 있는 세상은
내 안전이 최고야!
나는 무슨 짓을 해도 돼!

또다시 만인에 대한 만인의 투쟁 상태가 되는 거야.
으윽, 아까의 그 전쟁 상태잖아!
휙
없애버렷!

모든 사람들이 자신을 위해서 마음대로 할 수 있는 권리를 가지면 어떤 사람에게도 안전은 보장될 수 없을 거야.
찌릿
으윽!

그 결과 사람들의 이성으로
하나, 둘, 셋 하면 같이 칼을 내려놓는 거야.

자연권을 마구 휘두르지 못하게 규칙이 생겨났는데 이것이 바로 자연법이지.
두둥….
자연법

자연법에 의해 사람의 생명을 파괴하는 일을 금지하고
멈칫!

다른 사람의 생명 보존 수단을 제거하지 못하고
멈칫!

모두의 생명을 유지하는 데 가장 좋다고 생각되는 일을 할 수 있게 된 거야.
같이 죽느니 손해 보는 게 좀 있더라도 같이 살자.

홉스는 《리바이어던》에서 19개의 자연법을 제시했어. 자, 그 구체적인 내용을 알아보자!
제1 자연법

제1자연법은 모든 사람은 평화를 추구하고 따르되
쿨쿨

평화를 획득할 수 없을 때에는
받아라!
휙
헉!

모든 수단을 동원해 스스로를 보호하라는 거야.
이야!
팍

〈평화를 추구하라〉가
제1자연법이라고?
홉스 아저씨는
평화주의자구나!

아니, 홉스를 평화주의자로
간주하는 건 오해야.
후후
평생 별의별 오해는
다 받고 살았는데
그 정도 오해는
별것도 아니야.

홉스에게는 평화 그 자체가
목적이 아니라 자기 보존이
절실했던 것이거든.
우선 살고
봐야지!
흥!

홉스에게서 자기 보존과 평화 추구는
떨어질 수 없는 관계야.
찐빵과 팥처럼?
고무줄과
팬티처럼?
하하

평화의 목적은 자기를 보존하는 데 있고,
자기 보존은 평화에 의해서만 보장되는 것이기 때문이지.

제2자연법은 사람은 평화와 자기 보존을
위해 필요하다고 생각되면
챙

다른 사람들과 함께
너도 칼을 내려놔!
툭
너도 칼을
내려놓고!

자신들의 자연권을 포기해야
한다는 거야.
그리고… 나도 칼을
내려놓아야지.
툭

그리고 자신이 다른 사람에게 허용하는
만큼의 자유에 만족해야 한다는 거야.
다른 사람이 두 바구니를
가져갈 수 없는 것처럼 나도
한 바구니밖에 딸 수 없지.

이것은 성경에 나오는
예수의 가르침과도 같은 거야.
다른 사람이 너희에게
하기를 원하는 만큼 너희도
다른 사람에게 하라.
성경

만약 상대방이 나에게 나의 권리를 포기하라고 하고
너는 내 빵을 함부로 빼앗을 수 없어.
휙

그들의 권리는 포기하지 않는다면 어떻게 될까?
하지만 나는 먹고 싶을 때는 네 빵을 뺏어 먹을 수 있어.

내가 그 말을 듣고 나의 권리만 포기한다면
그래… 내 빵 가져가.

내가 평화에 기여한다기보다는
킥킥
낄낄, 다음엔 또 누구 걸 빼앗지?

다른 사람의 먹잇감이 된 것 뿐이야.
꼬르륵…

그러므로 그런 경우, 나는 내 권리를 포기할 이유가 없어.
뭐? 말도 안 돼!
탁
그러면 나도 네 빵을 뺏을 거야.

그렇다면, 다른 사람들과 함께 자연권을 포기하면 어떻게 돼?

사람들이 권리를 포기하게 되면
가져!
진짜?

다른 사람이 그 권리를 가지게 되지.
Thank you—…
빠앙

특정한 사람들이 다른 사람의 권리를 받음으로써

혜택을 보게 되는 거야.

사람들이 자신의 권리를 포기하거나 양도했을 때에는
이 밭은 오늘부터 당신 거요.
문서

그것으로 혜택을 받는 사람을
여기 우물을 메워 도로를 만들게!

방해하지 말아야 할 의무가 있어.
무슨 소리! 이 우물은 대대손손 내려오는 우물로서….
척

결국 홉스는 사람들이 권리를 포기할 때에
내가 이 밭에 대한 권리를 받은 것 아니오?
칫

자신이 자발적으로 자신의 권리를 다른 사람에게 준다는 거야. 일단 자발적으로 권리를 넘겼으면 그것을 무효로 만들 수는 없어.

이것을 무효로 만드는 것은
버럭
당신 뭐요? 밭을 나에게 넘겼잖소!

부정이고, 침해라고 본 거야.
몰라, 취소, 취소!
찌릿

모든 권리를 양도하면
권리
권리

나에게는 아무 권리도 남지 않는 걸까?
왈
질질

너무 걱정하지 마! 사람들이 모든 권리를 포기하는 것은 아니야.
끼이이익

권리를 포기하는 것이 자선 사업을 하기 위해서는 아니잖아.
권리
자선냄비

사람들이 어떤 권리를 포기하거나 양도하는 것은
권리

그렇게 함으로써 자신에게 돌아오는 어떤 권리나
자신이 희망하는 어떤 다른 이익을 고려하기 때문이야.
자신을 지켜주는 군인들.
견고하고 안전한 집.
각종 금은보화.

선천적으로 경쟁심이 많고 자기의 영광을
추구하는 인간 본성을 잊진 않았겠지?
와아

그런 사람들이 권리를 포기할 때에는
제가 넘기는 이 권리가 얼마나 대단한 건지 아시죠?
권리

자신에게 되돌아오는 어떤 유익한
것을 기대하고 있는 거야.
타탁

그렇기 때문에 어떤 경우에도
포기하거나 양도할 수 없는 권리가
생겨.
이건 뭔데 움직이지를 않아?
권리

우선 자신의 생명을 빼앗으려고
공격하는 사람들에게
공격~!

저항할 권리는 사람들로부터
빼앗을 수 없어.
캉

이것은 사람들이 자신을 보호하는
'저항권' 이라는 거야.
저항권

또한 자신을 상처 입히거나
감히 내 물건을 훔치다니! 손목을 잘라버리겠다!
덜덜

가두어 두려는 사람들에게 저항할
권리도 아무도 빼앗을 수 없어.

이런 경우 참는 것은 어떤 이익도
얻을 수 없기 때문이야.
죽으면 아무 소용이 없잖아!
후다닥

마찬가지로 어떤 사람이 폭력적으로 나에게 다가올 경우에는
둥

그가 살인의 의도가 있는지 없는지 알 수 없기 때문에
촤악~
컥!

이런 상황을 참는 것도 아무 이익이 없어.
죽이려고 온 게 아닌데….
하지만 잘못 판단할 경우 내가 죽을 수도 있었잖아.

마지막으로 사람의 권리를 포기하거나 양도하는 목적은
권리

생명을 보존하는 데 있어.

그러므로 만약 어떤 사람이 말이나 어떤 표시로
아이고~
아이고~

스스로 그 목적을 포기하는 것처럼 보였더라도
아이고~ 늙으면 죽어야지. 다리 건널 힘도 없구나.

그것을 그 사람이 진짜 원하는 것으로 이해해서는 안 돼.
저… 마침 제게 살충제로 쓰려던 독초가 있는데… .
뜨악!

이놈 자식!
퍽
내가 뭘 잘못했다고!

그 사람은 단지 그의 말이나 행동이 어떻게 해석될지에 대해
전 곧이곧대로 들은 것 뿐이라구요!

무지했을 따름이야.
난 그렇게 말하면 날 업고 징검다리를 건너가줄 줄 알았지.

그러니까 사람들은 서로의 안전을 위해 자신들의 권리를 포기하는데, 생명을 보존하는 권리는 어떤 경우에도 양도할 수 없다. 이 말이죠?
빙고! 그렇다면 이번엔 신약에 대해 알아볼까?

계약이라는 말은 여기저기서
많이 들어봤지!
스포츠 투데이
박지성
맨체스터 유나이티
드와 거액의
계약!

계약은 아주 일반적인 거야.
아빠가 아파트를 산다고 생각해봐.
전망도 좋고, 집도 깨끗하군. 여기로 하겠소.

이때 아빠는 얼마의 돈을
상대방에게 주고
척

대신 아파트를 얻어서 온 가족이
살게 되잖아.

아빠는 아파트를 얻고

상대방은 돈을 얻는 거지.

이처럼 권리를 서로 주고받는 것을
계약이라고 해.
사삭
101

그런데 계약 중에는 서로 신뢰가 있어서 한 당사자가 계약된 것을
양도하고 일정 시간 후에 다른 당사자가 계약을 이행하는 것이 있어.
이것이 신약이야.
당신이 이걸 해주고 돌아오면, 내가 저것을 주겠소.
네가 이번에 나를 도와주면 다음에 네가 곤란할 때 내가 도와줄게.

예를 들어 아빠가 1년 뒤에 들어갈
아파트를 사고
그럼, 1년 뒤에 들어오기로 하지요.

돈을 먼저 상대방에게 주는
경우가 있을 거야.

그때 아빠는 상대방을 믿고
그렇게 하는 거야.
집주인이 좋은 사람 같더라고. 도배도 새로 해 준대.

계약을 하고 시간이 지난 후에도 제대로 실행되면,
드디어 내일이 입주일이구나!

그 사람은 아빠로부터 신뢰를 얻게 되지.
와아, 정말 깨끗한 집이다!

그가 계약을 지킨 것을 약속 혹은 신뢰의 준수라고 해.

그러나 만약 자발적으로 약속을 이행하지 않는다면
당신들 누구요?

그 사람은 신뢰를 깨뜨리게 되겠지.
다른 사람에게 또 돈을 받고 집을 넘기다니!

이렇게 신뢰에만 기대어서 약속을 한다면
내가 지금 자네 지붕 공사를 도와주면 우리 집 지붕이 무너졌을 때 도와준다고?
좋네!

자연 상태에서 그 신약은 공허할 뿐이야.
우리 집 지붕이 무너졌네! 도와주게!
나중에, 나중에.

그러나 둘 사이에 신약을 반드시 실행하게 하는 강한 힘이 있다면

그 신약은 무효가 되지 않을 거야.
탁

급하게 운전을 하고 있는데 횡단보도를 건너는 사람이 없다면

신호가 바뀌어도 그냥 지나가려 할 거야.
악!
아무도 없는데 어때!
빠앙

그러나 눈앞에 경찰이 있을 때에는
!!

신호 위반을 하지 않게 되잖아.
끼이이익

어떤 강압적인 힘에 대한 두려움 없이
말로만 서로 계약을 지키기로 하는 것은
그놈을 처치하고 오면 저 말을 주시는 겁니까?
물론이지.

너무 약해서 지켜지기 어려워.
컥!

특히 사람들의 야심, 욕심,
말 대신에 이거나 갖게. 그 말이 여간 빠른 게 아니라서.
쌀

분노와 다른 열정들은
상당히 강한 것이어서
부글 부글

쉽게 억제할 수 없는 것들이야.
펑

그래서 먼저 신약을 이행하는
사람은
휙

상대방도 이를 이행할 것이라는
확신을 가질 수 없어.
그 말을 굉장히 아끼던 눈치던데 과연 지주가 순순히 내게 줄까?

그러나 시민적 계약 상태에서는 서로의 신뢰를 깨기 어렵도록
사람들을 속박하는 어떤 공동의 힘이 존재하게 돼.
덜덜
덜덜

누군가가 범죄를 저지르고 나면
당신 이게 뭐요?
내가 오늘 들어와 산다고 계약을 맺지 않았소!

경찰과 검찰이 그 사람을 구속해서 수사하게 되잖아.
쓱쓱

그런 힘에 대한 두려움은 아주 합리적이어서
철컥

신약을 먼저 지키기로 한 사람들은 쉽게 깰 수가 없는 거야.
어이쿠, 안 돼!

보통은 신약을 무효로 만들 수는 없지만
내일 입주하시는 거죠? 도배는 다 해놨습니다.
네~ 내일 뵙겠습니다.

신약이 만들어진 이후에 생긴 어떤 새로운 사실이나
우리 애완 동물이지요.
어흥
으아~ 이런 얘긴 없었잖아!

신약을 실행하는 것을 두렵게 만드는 것이 있는 경우에는
그놈은 내 철천지원수!
그놈을 들이는 날에는 너도 내 원수다!

신약을 무효화할 수 있을 거야.
없던 걸로 해야겠소.
뭐요?

권리를 양도한 사람은 권리를 누리는 수단도 양도한 것으로 생각할 수 있어. 예를 들어 토지를 파는 사람은 그 위에서 자라는 목초도 양도한 것이고

물레방앗간을 파는 사람은 그것을 움직이게 하는 개울물도 양도한 것이지.
덜컹
덜컹

따라서 어떤 사람에게 통치권을 준다는 것은
척
통치권

그에게 군대를 유지할 세금을
징수하거나
이번 원정을 위한 세금입니다.

사법을 집행할 법관을 임명할
권한도 주는 것이야.
자네가 법관의 임무를 훌륭히 수행해주길 바라네.

자연 상태에서 공포에 의해
체결된 신약이라도
저, 저 개를 쫓아 주시면 이 금반지를 드리겠습니다!
닥다

의무적이라고 볼 수 있어.
그땐 무서워서 그랬지!
사람이 무서우면 뭔 말을 못해요!
사삭

가령 어떤 사람이 생명의 대가로 몸값을 지불하거나 봉사를 하기로
신약을 맺었다면 그 사람은 그 신약에 구속되는 거야.
살려만 주시면 무슨 일이든 하겠습니다!
마침 잘됐군. 일할 사람이 한 명 필요하던 차인데…
다다다

왜냐하면 한쪽은 생명을 향유하는
혜택을 받고
킥.
이런!
쾅

상대방은 그 대가로 돈이나
봉사를 받는 계약이기 때문이지.
이런 일을 하게 될 줄이야.
끌~

약한 지주가 두려움 때문에
내 땅을 다른 사람들로부터 지켜주시오.

강한 장군과 불리한 평화를
맺었고 그것이
좋다, 대신 땅에서 나오는 작물의 80%를 바쳐라!

공포 때문에 맺은 신약이라고 해도
강제 없이 합법적으로 맺은 신약이므로
내가 억지로 도장 찍은 건 아니잖아?

그는 그것을 지키도록 구속되어
있어.
정확하겠지?
그럼요!

그러나 자신을 폭력으로
부터 보호하지 않겠다는
신약은 언제나 무효가 되지.

아무도 죽음이나 상해,
…

투옥 등으로부터 자신을 구할 수 있는 권리를 양도할 수는 없어.
퍽
퍽

그래서 폭력에 저항하지 않겠다는 신약은 지켜질 의무가 없고
그 신약에 의해 자신의 권리를 양도할 수는 없는 거야.
제일 중요한 건 뭐?
다다다다
생명의 보존!

비록 사람들이 만일 자신이 무엇을 하지 않으면 죽이라고 신약을 할 수는 있을지언정
휴~
내가 또 도둑질을 하면 그땐 사형을 시켜도 할 말이 없구먼!

자신이 무엇을 하지 않아
휙
이게 내 적성에 맞는다니까!

상대방이 자신을 죽이려고 올 때
!!

저항하지 않겠다는 신약은 할 수 없는 거야.
쌩
걸음아 나 살려라.

말의 힘은 너무 약해서
정말이에요. 그 오락기만 사 주시면 하루에 2시간씩 공부할게요!
최신게임!

사람들이 자신의 신약을 실행하게 할 수는 없지.
와우!
피융웅

그래서 사람의 본성에는 그것을 강화시키는 두 가지 도움이 있는데
휙
2!
휙
2!

첫째는 그 말을 어긴 결과에 대한 두려움이고
덜덜
성적이 떨어지면 오락기도 압수, 일주일 용돈도 압수다.

둘째는 그 말을 어길 리가 없다고 보이려는

자기만족이야.
봐요, 한다고 했지요?
중간고사 1등

너 좋은 시대에 사는구나?
《리바이어던》에는 모두 19가지 자연법이 있다고 했지요?

나머지 자연법도 얘기해 주셔야죠!
자연법의 목적은 평화를 유지하는 데 있다고 1, 2자연법에서 말했지?
다른 자연법들도 마찬가지로 지켜지지 않으면 평화를 저해하는 것들이야.

그래서 타인에게 양도할 수밖에 없는 자연법들이지.
싫어, 이 권리 안 줄래!
그럼, 전쟁 상태에서 계속 살든지.
권리

제3자연법은 사람들은 자신들이 체결한 신약을 실행해야 한다는 거야.
그럼 꼭 지켜 주셔야 합니다.
에이~ 이 사람이 속고만 살았나!

그렇지 않으면 신약은 헛된 것이고 공허한 말에 불과하지.
신약
툭
툭

자연 상태에서 사람들이 자발적으로 신약을 지키지는 않잖아.
뻥―
신약
난 나만을 위해서 살고 싶다고!

그래서 사람들이 신약을 지키게 하기 위해서는
끙차
뭐야? 스미스가 다리 공사 현장에 안 나왔다고?

그들이 신약을 위반해서 얻을 수 있는 혜택보다
히히, 다리짓기 공사 현장에 안 나가고 집에서 쉬니까 이렇게 좋구나!

더 큰 징벌이 있거나
벌로 일주일 동안 성벽쌓기 공사에 투입!
으악!

신약을 지킨 보상으로

자신의 재산에 대한 소유권을 확보하게 할 수 있는 강제적 힘이 필요해.

그런 힘은 국가가 수립되기 전에는 존재하지 않아.
국가

국가가 없는 곳에서는 소유권도 존재하지 않고
이건 내 거라구!
누가 그래?
아웅 다웅

부정의도 존재하지 않는 거야.
겨, 경찰 불러! 재판해!
휙
그런 게 어디 있냐!

국가가 없는 곳에서는 모든 사람이 모든 것에 권리를 가지게 돼.
내가 다시 되찾고 말테다.
부글 부글

제4자연법은 다른 사람으로부터 은혜를 받은 사람은
응애~응애~
웬 아기가 울고 있지? 내가 데려다 키워야겠다.

그가 선행을 후회하지 않도록
응애~ 응애~
기다리렴, 젖동냥을 해오마.

노력해야 한다는 거야.
여기 나무를 해왔어요.

이 법을 위반하는 것을

배은망덕이라고 해.
나는 도시로 나갈 테야!

제5자연법은 순종이야. 모든 사람은 자신 외의 나머지 사람에게 순응하도록 노력해야 한다는 거지.

모든 사람은 자신의 개성이 있고
빽...
철컥
철컥

그것을 표현하려고 하잖아.
두둥
치키..
치키..
HIPHOP
왈~

그런데 그것이 다른 사람들에게 피해를 줄 때가 있을 거야.
윽!
왈..
왈...

그럴 때는 나를 다른 사람에게 맞추어야 해.
낑!

순종은 다른 사람을 기쁘게 하는 거지.

이것은 평화의 보존을 위한 사람들의 노력이야.
평화

제6자연법은 용서는 평화를 가져온다는 거야.
스윽

과거의 잘못을 뉘우치는 사람은
잘못했어요….
아니, 이게 누구야!

용서해 주어야 한다는 거지.
돌아왔으니 됐다.
훌쩍

그렇게 하지 않는 것은
잘못했어요….
아니, 이게 누구야!
꼬질..

평화를 싫어하는 증거라고 볼 수 있지.
은혜도 모르는 놈!
이보게! 저 녀석을 흠씬 두들겨 패서 내쫓게!

제7자연법은 복수에 대한 것으로
원수는 외나무다리에서 만난다더니!

사람들은 악을 악으로 갚지 말고
네 놈이 내 예전 여자 친구를 빼앗았지!!
퍽
억

미래에 올 위대한 선을 보라는 거야.
지금 더 좋은 사람을 만났으니 됐어.
열심히 일해보세.

제8자연법은 누구든지 표정, 언어, 행위, 행동으로 타인을 증오하거나
푸하하! 민이 너 반에서 꼴찌했지!

무시하는 것을 나타내지 말아야 한다는 거야.
그것도 성적이냐!
낫 놓고 기역자도 모르는 멍청한 녀석!

이 법을 위반하는 것을 오만이라고 부르지.
푸하하, 멍청한 놈!
데구르르
등수 29/30

제9자연법은 누가 더 나은 사람인가 하는 것은

단순히 자연 상태에서는 문제가 되지 않는다는 거야.
어?
악!

모든 사람은 자연에 의해 동등하다는 것을 인정하라는 거지.

이 법을 어기는 것이 교만이야.

제10자연법은 평화의 상태로
들어설 때

아무도 다른 사람이 가지고 있으면
만족스럽지 못할 그런 권리를

자신이 가지겠다고 요구해서는
안 된다는 거야.

평화를 추구하는 모든
사람들에게 필요한 것은
척

일정 권리를 포기하는 거야.

제11자연법은 만약 사람들 사이에서
판단하는 일이 맡겨졌다면
누가 이 반지를 가져야 할까요?

그 사람은 그들을 동등하게
취급해야 한다는 거야.
후후
엄청난 미인이군!

그렇지 못하면
얘기 들어볼 것도 없이 이쪽 승!
와!
윽!

사람 사이의 분쟁은 전쟁으로만
해결될 거야.
저 여자가 미인이라 그런 걸 누가 모를 줄 알고!
퍽
악!
이쁘면 다냐?

제12자연법은 나누어질 수
없는 물건은

가능한 한 공동으로 향유하고

나누어지는 경우에는

권리를 가진 사람의 수에 비례하여 나누라는 거지.

제13자연법은 나누어질 수 없고, 공동으로 향유할 수도 없는 것들은

전체 권리로 하거나
동물원

혹은 추첨을 통하여
당첨
와아
꽝
꽝

첫 번째 소유권을 결정할 수 있는 거야.
일단은 우리 집에서 키운다!
왈~.

제14자연법은 추첨에는 임의적인 것과 자연적인 것이 있는데
임의적 추첨
자연적 추첨

임의적인 추첨은 경쟁자들 간에 합의된 것이고
사삭
추첨함

자연적인 추첨은 상속권이나
아버지가 쓰시던 물건이니….

혹은 최초의 점유가 있다는 거지.
쥐이익
UFO
내가 먼저 봤어!

제15자연법은 평화를 중재하는 모든 사람은
오늘 피터 씨의 재판날이죠?
예.

안전한 행동이 보장되어야 한다고 보고 있어.
피터가 유죄 판결이 나면 나는 아주 유감일 것 같은데….
?

평화를 중재하는 사람이 안전하게 행동할 수 없다면
나는… 이… 판결을… 아… 그… 저…
덜덜

평화라는 목적은 성취될 수가 없을 거야.
피터에게 무죄를 선고합니다!
크크

제16자연법은 분쟁 가운데 있는 사람들은
내가 옳아!
내가 옳아!

자신들의 권리를
제가 이렇게 저렇게 해서~
그때 제가 이렇게~

중재자의 판결에 맡겨야 한다는 거야.
땅땅땅! 너는 저 사람에게 100달러를 지급하라!
할 수 없군.

제17자연법은 모든 사람은 자신들의 이익을 위해 모든 일을 할 것으로 추정되므로

누구도 자신의 문제에 대하여
법정으로 가자고!
누가 할 소리!

중재자가 될 수는 없다는 거야.
네… 네가 재판관?
그래!

제18자연법은 한 쪽의 승리로 인하여
금은보화는 네 것이다.

큰 이익이나
아버지~
5:5로 나누자!

명예, 기쁨을 얻을 편파성이 있는 사람은
이것은 틀림없는 내 제자의 작품이오.
스승님!
저런!
말도 안 돼!

중재자가 되어서는 안 된다는 거야.
악!

공정하게 중재하기 위해서는
중립적이어야 한다는 거지.

제19자연법은 사실의 분쟁에서
저 사람이 내 강아지를 가져갔어요!
웃기지 마. 니가 강아지를 괴롭히고 있었잖아!

재판관은 당사자가 아니라 제3자나
제가 밤에 저 사람이 강아지를 훔쳐가는 걸 봤어요.

그 이상의 사람을 신뢰해야 한다는
거지.
저 부인은 항상 강아지를 산책시켜요.
괴롭힌다니 말도 안 돼.

당사자들은 자신의 이익을
주장하기 때문에
제가 불쌍해서 강아지를 구해준 거라니까요.

사실을 주장하지 않을 수도 있어.
제가 볼 때마다 강아지를 때리고 있었어요!
올 여름에 잡아 먹을 분위기였다구요!

자연법은 오직 내면의 법정에서만
의무를 지우고 있어.
법정

즉 사람들은 자연법이 이루어져야
한다는 강한 열망만 가지고
있다는 거야.
힘들게 길어가는 물이니 아무도 빼앗아 가지 말아야 할 텐데….

그래서 자연법이 항상 지켜지는 건
아니야.
내가 목이 말라 죽겠는데 할 수 없지!
퍽
퍽
악!

아무도 자연법을 지키지 않는데

어떤 순진하고 착한 사람이
나라도 자연법을 지키는 게 좋지 않을까?

자신이 약속한 모든 것을 지킨다면
좋아요, 나는 남의 것을 빼앗지 않고,
내가 말하는 걸 모두 지키겠어요.

그는 자신을 다른 사람의 먹이가 되게 하고
바보 같은 놈!

파멸을 초래할 뿐이라는 거야.
사삭
사삭

또한 다른 사람이 법을 지킨다는 충분한 보증이 있는데도
1인당 1바구니씩만 따갈 수 있음

자신이 그 법을 지키지 않는다면
히히, 다들 법을 지켜준 덕분에 이렇게 열매가 많이 남았네!

그는 평화를 추구하는 것이 아니라
으아악!
나쁜 녀석! 결투다!

전쟁을 추구하는 것이 되는 거야.
퍽

결론적으로 폭력으로 그의 본성을 파괴하는 결과를 가져오게 될 거야.

이제까지 우리는 자연권과 자연법 그리고 우리의 권리가 다른 사람에게 양도될 수 있다는 것을 배웠어.
자길 보호하기 위해 뭐든 하는 자연권!
너도 나도 자연권만 주장하니 전쟁 상태!
인간 욕심 끝없으니 안 지키네 자연법!
포기할 건 포기하는 계약 맺어 같이 살자!
너와 나의 권리 모아 공동의 힘 만드세!
모든 사람 법 지키게 아주 큰 힘 만드세!
얼쑤!
쿵
짝

이제 권리를 양도받은 사람, 통치자에 대해 알아볼 차례지?

통치자의
의의와 권한에
대하여
빰빠라빰

홉스가 제시한 사회 계약의 중요한 결과는 자연 상태에서 자신을 보호해 줄 공동의 힘을 세우는 것이야.
공동의 힘

이것은 개인들이 자신들의 자연권의 일부를 누군가에게 양도하면서 성립돼.
착착착
자연권

이로써 권한을 위임받은 사람은 통치권을 받게 되고
짜잔
자연권

그 통치권을 이용하여
휘웅

권리를 양도해준 개인들의 안전 보장을 책임지게 되는 거야.
내가 막아주겠다!

홉스는 이런 통치자를 인격체로 보고 있어.

인격체(Person)의 라틴 어 어원은 'persona' 인데
Persona

이것은 연극에서는 '가면'을 뜻하고

법정에서는 '대리인'을 뜻하지.
미성년자 피터 군의 법정 대리인인 그의 어머니는 앞으로 나오시오.

홉스가 의미하는 인격체는 통치자를 가리키고,

그는 통치를 받는 사람들을 대신하는 사람이야.

이 이론으로 홉스는 통치권에 대한 기존의 전통을 뒤바꾸게 된 거야.

위의 신이 아니라

아래의 백성들이 통치자에게 권위를 부여한 거야.
와
와

홉스의 이런 생각은 당시 왕의 통치권이 신으로부터 나왔다는 왕권신수설과는 큰 차이를 보이고 있지.
이것이 하느님의 뜻이라면!

왕권신수설에 따르면 통치권은 신으로부터 왔기 때문에
왕은 마땅히 신이라 불려야만 한다.
왜냐하면 지상에 있어서 왕은 신권과 같은 권력을 행사하기 때문이다.

통치권에 대한 불복종은 신에 대한 불복종이고
요즘 배가 조금 나오셨는데 운동을 하심이….
이런 천벌을 받을!

이는 어떤 경우에도 용납될 수가 없는 거야.

그래서 개인들은 통치자를 결정하는 데
저 사람은 정말 멍청한데….
헤헤
아직 숫자도 못 읽는대요.

아무런 영향력을 행사할 수가 없었어.
할 수 없지. 신이 선택하셨다는데….

홉스는 인격체를, 자신의 말이나 행동을 대표하는
사람을 자연적 인격체라고 하고

다른 사람의 말이나 행동을 대표하는 사람을
인공적 인격체라 나누고 있어.
브라운 씨는 지금
자리에 안 계십니다.
3시 이후에 다시 방문해
주실 수 없을까요?

자신의 말과 행동을 대표하는 사람을
본인이라고 하고
미국산 쇠고기 수입
때문에 말이 많아.
위험한 부위들이
들어왔다지?

인공적 인격체는 다른 사람들의 말과 행동을
대신하는 사람으로 대리인이라고 해.
광우병 위험이 있는 소의 등뼈
부분이 수입되었습니다.
국민 안전에 위협이
되는 미국산 쇠고기의
수입을 금지해야 합니다.

홉스는 대리인과 본인의 관계를 통치자와 통치를 받는 사람들의
관계로 보고 있어.
와
와

통치자는 대리인으로서의 권위를 가지고

통치를 받는 사람들의 지지를 받는
것으로 본 거야.
국왕 만세!
만세!

가깝지만 먼 나라, 일본을
생각해 보자.

신사 참배라는 말 들어봤지?
고이즈미 총리의
야스쿠니 신사참배
중국 총리의
방일 취소
야스쿠니 신사참배
한·중·일 3국 관계
냉각 우려
아베 8.15 야스쿠니 신사
참배 보류

신사 참배는 일본에서 업적이 있는 선조들을 기리는 일종의 제사야.

야스쿠니 신사라는 곳에서 하는 신사 참배에서는

제2차 세계 대전을 일으켜 우리나라를 포함한 주변국들을 침략한
팍

장교와 병사들의 죽음을 애도해.
조국을 위하여 희생한 분들의 숭고한 영혼을…
자기들이 먼저 침략해서 마구 학살한 주제에….

그런데 고이즈미 수상 한 사람이 신사 참배를 하는데

왜 한국, 중국 등 여러 나라에서
정부는 이번 외교 통상부 대변인 성명을 통해 야스쿠니 신사 참배에 대한 깊은 유감의 뜻을 표명하였습니다.
신사참배

그렇게 불만을 나타내는 걸까?
덜덜
망할 일본놈들!

그건 고이즈미 총리는 한 개인이기 이전에 일본을 대표하는 통치자이기 때문이야. 고이즈미 총리가 한 행동은 일본 전체를 대표해서 하는 행동이므로

일본 국민 모두가 신사 참배에 참여한 것이나 마찬가지가 되는 거야.

통치자에게 권한을 부여함으로써
척

통치자가 어떤 행동을 하게 된다면
100층짜리 왕가 전용 놀이 동산을 만들겠다!
세금을 걷고 한 집에 한 명씩 부역을 시켜라!

백성들은 그가 실행한 행동에 대해
2교대로 밤낮 없이 공사를 진행하라!

책임을 져야 하는 것이지.
저런 인간에게 권한을 넘겼다니….

결국 통치자가 자신의 명령으로 자연법을 어긴 경우에도
우하하하, 이제 이 보석은 내 것이다!
적장군

통치자뿐 아니라 백성들도 자연법을 어기는 것으로 간주할 수 있는 거야.
뭐? 그쪽 왕이 우리 장군을 베?
우리 나라를 우습게 봤다 이거지. 저 나라 국민을 닥치는 대로 잡아들여라!

무슨 소리야?
왕이 잘못한 것도 내가 책임을 져야 한다는 거야?

물론이야. 통치자에게 권한을 위임할 때에는

그 책임까지도 같이 지겠다는 것을 포함하는 거야.
훌륭한 왕이 정치를 잘하면 더 평화롭고 풍족하게 살 수 있는 것과 마찬가지로 왕이 잘못했을 경우에도 그 책임을 져야 하는 거구나!

미국의 예를 들어보자.

부시 대통령이 이라크를 공격하기로 결정하고
악의 축과 전쟁을 선포한다!

전쟁을 치르면서
콰앙
악은 누가 악이라는 거냐!

미국의 수많은 군인들이 전쟁에 참여할 수밖에 없었어.
척척척

전쟁에는 엄청난 돈이 들어.
$100.000
USA

그 천문학적인 비용을 국민들의 세금으로 충당할 수밖에 없지.
헉! 월급보다 세금이 더 많이 나왔네!

전쟁을 반대하는 사람들도 많았지만
NO WAR

어쨌거나 부시를 대통령으로 당선시킨 미국 국민들은
President G.W BUSH
부시 만세!
공화당 만세!

자신들이 한 선택에 책임을 질 수밖에 없었어.
흑흑… 내 아들이 이럴 수가….
MP

결국 훌륭한 통치자를 선택하는 것은 국민들이고
기표소

국민들이 성숙하지 못하다면
그 수건, 상당히 고급이었지?

자신들이 한 잘못된 선택에 대해 누구에게도 책임을 돌릴 수 없는 거야.
지역 경제, 이대로 괜찮은가!
중단된 수로 공사, 말뿐인 선거 공약!
시장, 일주일에 세 번씩 망언!

구구절절 옳은 얘기들이지?
이제 나의 국가론 속으로~ 고고! 고고!

제4장
홉스는 국가가 왜 생겼다고 생각했을까?
국가

홉스는 인간의 궁극적인 목적은 불행한 전쟁 상태에서 벗어나
헉헉

자연법을 지킴으로써 자기 자신을 보존하고 좀 더 만족스러운 삶을 누리는 것이라 보았지.
우리들은 이제 서로의 것을 탐하지 말고
서로의 생명을 앗으려 말고
평화를 유지하며 살도록 하자.

그러나 홉스는 당파성이나
나는 로마 가톨릭 교도야.
나는 청교도야.

교만함,
청교도? 감히 로마 교황에게 대적할 생각을 하다니!
화악

복수와 같은 인간의 본성 때문에
아버지를 죽이다니. 그 가톨릭 교도놈, 언젠가 복수하고 말 테다.

어떤 공포의 힘이 없이
탁
너는 나의 아버지를
죽인 원수가 아니냐!

자연법을 지키며 사는 것은 불가능하다고 보았어.
아…아버지!
이제 네 놈이
나의 원수다!

그러므로 사람들이 지킬 의지가 있는
자연법에도 불구하고
자, 잠깐!

만약 사람들이 두려워 할 공동의
힘이 없으면
이러면 우리는
계속해서 서로를
파멸시킬 뿐이야!
그건 옳은 말이긴
하다만….

인간들은 자연법을 지키기는커녕
자신의 힘에 의존하여
나는 너를 죽이고 싶은
마음뿐이다. 게다가
내게 말과 칼이 있으니,
주저할 이유 없으리!

다른 사람에게 대항할
것이라는 거야.

우리가 깡패나 야쿠자 세계에서
많이 보듯이
형님, 이번에는
제3구역을 저희가
접수하려고 합니다.
좋다. 내일 애들
좀 모아라.

사람의 본성이 남을 지배하는
것을 좋아하기 때문에
쾅
악!

소수의 사람들이 힘을 모아서 얼마든지 다른 사람들을
지배하려고 할 수 있어.
왜?
불만 있냐?
ㅋㅋ
무서우면
까불지 마!

공동의 적이 있을 때

사람들은 자신들의 힘을 모아 최대한으로 사용해야 하는데
그 세 놈들이 밤에 우리 농작물을 다 훔쳐가고 사람들을 해치고 있소.

아무리 대항할 사람이 많이 있다 하더라도
우리가 사람이 훨씬 많으니 그놈들쯤 해결하는 것은 우습지.
어떤 방법이 좋겠소?

그들이 각자의 판단이나 욕구에 따라 행동한다면
한 명씩 저녁에 돌아가며 경비를 서는 것이 어떻소?
경비라니 귀찮아.

힘을 사용하는 것에 관한 의견이 엇갈려 있으므로 서로에게 피해를 주고
높은 울타리를 설치하는 것이 어떻소?
그 비용은 당신이 댈 거요?

아무것도 아닌 일에 대해 서로 반대함으로써
우선, 노약자와 여성들은 밤에 되도록 안 나오는 것이 좋겠소.
난 그 의견 반댈세.
흥, 너도 아까 내 의견 반대했지?

오히려 자신들의 힘을 감소시키게 된다는 거야.
사삭
스릉!

그래서 그들은 의견이 일치된 소수에 의해 쉽게 전복될 뿐 아니라
이럴 수가!

공동의 적이 없을 때조차 자신들 각자의 목적을 위해 서로 전쟁을 하게 되는 거야.
와아~ 악당들이 다른 곳으로 이동해갔다!
여기까지가 원래 내 밭이었다니까!
무슨 소리!

왜 꿀벌이나 개미 같은 동물들은 이성과 언어가 없이 그리고 강압적인 힘도 없이 사회를 이루고 잘 살아갈까?

아리스토텔레스는 이렇게 말했어.
그것은 꿀벌이나 개미 같은 것들이 정치적인 동물이기 때문이지.

하물며 인간은 더 고등적인 정치적 동물이기 때문에 사회나 국가를 더 자연스럽게 조직해 나갈 것이라고 봤지.
조직도

하지만 내 생각은 달랐지.
나는 오히려 인간이 사회나 국가를 형성하기가 더 어렵다고 했어.

동물들과 근본적인 차이점들이 몇 가지 있기 때문이야.
앵앵

첫째, 인간들은 끊임없이 명예와 자존심을 위해 경쟁을 해.
저 자식만 없으면 내가 일등인데.

그래서 질투와 증오가 일어나서
퍽
억!

결국 전쟁을 하지만 동물들은 그렇지 않지.
아옹
다옹

동물에게는 명예를 추구하는 본성이 없어. 동물의 왕인 사자도 배고플 때만 사냥을 하고,
콱

안 그러면 잠만 잔다지?
꺼억

그런데 인간은 '사냥 대회'를 하잖아.
제3회 브라운경 주최 사냥대회
오늘의 우승자에게는 주최자이신 브라운 경이 직접 우승 배지를 달아 주실 예정이며….
내가 우승하고야 말겠어.

오~ 근사하네. 저 뿔 좀 보게.
그놈은 활을 네 번이나 쏘아야 했지. 허허허!

둘째로 인간들은 자신을 다른 사람과 비교하는 데에서
우쭐
어머, 이게 모두 천연 진주란 말이죠?

즐거움을 찾고
어마, 저건 다이아잖아!
세상에!

뛰어난 것만을 좋아해.
눈이 너무 부셔서 거울도 제대로 못 보고 나왔지 뭐예요, 호호!

셋째로 인간들은 자신이 더 현명하고 다른 사람을 더 잘 다스릴 수 있다고 생각해.
여기에서 공격을 한다.
멍청하군. 저 강쪽이 지형상으로 훨씬 유리한데.

그래서 이런 저런 방향으로 변화를 추구하게 하고
배수의 진이라고, 물이 뒤에 있어야 병사들이 필사적으로 싸우는 법입니다.
??

전쟁도 일으키게 되지.
차라리 내가 장군을 해야겠다!
평소 불만이 있던 동지들이여! 나를 따르라!
와
와아

넷째, 다른 동물들은 약간의 음성
아우우~
울음소리를 들어보니 배우자를 찾는구나!

혹은 동작만 가지고도
윙~
저 벌이 먹이를 찾았구나!

자신들의 생각을 서로 알릴 수 있지만
꼬리를 살랑대는 걸 보니 내가 좋구나?
자, 이리와, 안아줄게.

인간들의 언어 기술은 워낙 발달해서
수사법에 대하여
1. 은유
2. 직유
3. 비유
4. 풍유
5. 의인화

사람들은 자기들 좋을 대로 표현하곤 하지.
우리 딸? 마르진 않았어. 그냥 복스럽다고나….
밥 줘!

그래서 선을 악처럼 보이게도 하고,
이 책을 사람들이 널리 읽고 어리석은 실수를 하지 말아야 할 텐데….

악을 포장해서 선처럼 보이게도 할 수 있지.
안 되겠다. 이 망할 책이 내가 독재 정치를 하는 데 방해가 되는구나.
틀린 말이 없으니 더 얄미워!

보라, 이 불순한 책이 사회를 혼란에 빠뜨리고 있다!

나는 이 책을 태우고, 지은이를 가두겠다. 이는 모두 백성들의 안전과 평화를 위해서이다!
와아

이렇게 인간들의 복잡한 언어는 결과적으로 사회를 혼란스럽게 하고
부글 부글

평화를 어렵게 만들지.
크헉!
푹

다섯째, 동물들은 해를 끼치는 것과 피해를 입는 것을 구별하지 못해서
꽥-
꽥-

평온하면 자신들의 동료를 공격하지 않지.

그러나 인간들은 자신의 지혜를 과시하고
보라, 이것이 바로 이번에 내가 받은 문학상!
탁

다른 사람을 지배하기를 좋아해.
감히 내가 얘길하는데 딴 짓을 해?
악!
퍽

여섯째, 다른 동물들의 합의는

자연적인 반면에
나는 외적의 침입으로 부터 여왕개미를 보호하기 위한 병정개미로 태어났지.

인간들의 신약은 인공적이야.
우리 계약을 맺어 서로를 보호하기로 하자.
네가 그 계약을 지키리라고 어떻게 확신할 수가 있지?

따라서 이 합의를 지속시키기 위해서는 공동의 힘이 요구돼.
우리 둘 다 계약을 지킬 수 있도록 만드는 강한 힘이 필요하겠군!

이 강력한 힘만이 인간들에게 경외심을 주고
공동의 힘

인간들이 욕심을 부림으로써 스스로를 파멸시키는 것에서 벗어나
퉁
힉!

공동 이익으로 향하도록 만들어.
GO!!
...
공동이익

인간들은 각자의 의사를 하나로 결합하고 그것을 떠맡을 한 인격체를 선출하여
빠바빵
빠빵

자신들이 합의로 그 사람의 의사와 판단에 순종하게 되는 거야.

훌쩍
이것이야말로 모든 사람의 합의로 만들어진 '하나의 동일한 인격체'로의 진정한 통일이야.

따라서 모든 사람들이 서로 다음과 같이 선언하는 거야.
당신이 당신의 모든 권리를 그에게 주어 그가 하는 모든 행동에 권위를 부여한다는 조건하에 나도 나 자신의 권리를 포기하고 이 사람에게 양도한다.

이렇게 다수가 한 인격체에 통일된 것을 Common-wealth, 즉 국가라고 하고, 이것이 그 위대한 리바이어던의 탄생이야.
쌔애액
콰 콰 콰 콰

전지전능한 불멸의 하느님의 가호 아래

사람들의 평화와 안전을 책임지는 한정된 하느님이 탄생한 거야.
쿠 쿠 쿠
강하고 또 두렵구나.
저 밑에서 우리는 안전하다.
와아
와

《리바이어던》 표지 위에는 라틴 어로 다음과 같은 글이 새겨져 있어.

Non est potetas Super Terram quae Comparetuer ei -job Xli.
지상에 더 힘 센 자 없으니 누가 그와 겨루랴!

모든 사람들의 합의로 통치자에게는 권위가 주어지고 많은 권력이 부여되지.

그런 권력의 공포를 이용해서
욱

통치자는 내적으로는 평화를 유지하고
영차!
땅땅

대외적으로는 사람들이 적에 대항하게 하지.

통치자의 권리와
제정된 국가의 종류에
대하여

그럼, 통치자는 어떤 권리를
가지게 될까?
권리

통치자가 국가를 잘 다스리기
위해서는 보통 사람들보다 훨씬 더
많은 권리가 있어야겠지.
휘릭

우리나라 대통령의 권리를 한번
알아볼까?

대통령은 장관, 차관 등 모든
공직자들을 임명할 수 있어.
당신을 환경부 장관
으로 임명합니다.
척

외교 관계도 대통령이 맺게 되고
대통령은 오늘 오전
백악관에서 미국 대통령과
정상회담을 갖고
한미 동맹 관계 발전에 대해….

군대의 모든 장군들도 대통령이
임명해.

필요할 때, 외교, 국방 등 국가
안전에 관한 중요 정책을
국민 투표에 부칠 수도 있고
행정수도 이전 찬반 투표
기표소
기표소

천재지변 등 긴급한 일이 있을 때에는
필요한 명령을 할 수도 있지.
으아악~지진이다!
비상 계엄령이
선포되었습니다!
모두 이쪽으로
이동하십시오!
삐뽀…

휴! 너무 많아서
헤아릴 수가 없네.
끄응

다음의 권한들이 국가를 통치하기 위해 통치자에게 필요한 권한들이야.
씨익

첫째, 국가를 세운 국민들은 이미 통치자의 행동과 판단을 인정한 것이므로 정부의 형태를 바꿀 수 없어.
이쪽이 더 나아보이는걸?

그래서 제3자에게 복종하기 위한 새로운 계약을
당신이 나의 왕이 되어주십시오.

합법적으로 할 수 없어.
휘익
헉!

둘째, 통치권은 상실될 수 없고
꾹

백성들은 통치자의 예속으로부터 자유로울 수가 없어.
폐하!

셋째, 아무도 다수에 의해 선포된 통치권에 대항할 수 없어.
덜컹
덜컹

다수가 한 목소리로 통치자를 선포하였기 때문에
흠. 역시 마음에 안 드는군.

반대하는 사람일지라도 그 나머지 사람들에게 동의해야만 하는 거야.
하지만 어쩔 수 있나. 복종할 수밖에.

자기 스스로 선거에 참여했던 것이라면
쿵

그것은 다수의 결정을 지키겠다는 의지를 충분히 보여준 것이기 때문이야.
결과가 어떻든간에 그 결정을 따른다고 결심을 했으니 여기에 온 것이지.
기표소
기표소

그래서 통치권을 거부하거나
나는 저 사람을 뽑지도 않았어요.
저것 봐요, 개판이잖아요.
벌럭

다수가 결정한 것에 항의를 한다면
그러므로 나는 그 결정에 따를 수 없어요!

그것은 자신이 한 계약에 위배되는 것이고, 따라서 불의고 부정이야.
찌릿
찌릿

반란을 일으키는 자들은
왕을 죽이고 새로운 시대를 열자!
와아
와

국민이 아니라 적으로 취급되어야 해.
저들은 더 이상 나의 국민이 아니며 고로 나는 저들의 안전을 보장할 이유가 없다.

반란을 일으킨다는 것은 새로운 전쟁을 일으킨다는 것이고,
왕을 찾아내라!
쾅

그러므로 통치자에 대항하려는 사람들은
그를 죽이고 내가 왕이 되리라!

통치자를 지지하는 사람들에 의해
타앙

죽임을 당하는 것이 마땅한 거야.
으윽~ 일장춘몽이었던가.

홉스는 반란을 일으킨 사람만이 아니라
반란을 일으킨 놈의 일가를 몰살하라.

그 3~4대 자손들의 처벌도 정당하다고 했어.
으윽! 너무해.
반란은 그만큼 큰 죄야.

넷째, 통치자의 행동이 백성에게
수군수군

부당하게 비난받아서는 안 돼.
챙

백성들은 제정된 통치자의
O.K!

모든 행위와 판단의 장본인이야.

그런 이유로 고이즈미의 신사 참배가 문제 되었던 거군요.
그래, 바로 그렇단다.

그러므로 통치권으로부터 손해를 입었다고 불평하는 사람은
도대체 왕은 무슨 생각인지를 모르겠어.
아니, 생각이라는 게 없는 것 같아.

그 자신이 본인인 것을 불평하는 것이나
나는 왜 나인 거야! 나 때문에 내가 못 살아!
??

마찬가지라고 볼 수 있지.
왕이 이번에 또 얼마나 멍청한 짓을 했냐면은~
자기 손으로 뽑아놓고는…. 제 얼굴에 침뱉기로구만.

다섯째, 통치자의 모든 행위는
저 반역자를 잡아라!

백성에 의해 처벌받지 않게 돼.
탁

통치권을 소유한 사람은 누구든지 처형될 수 없고 자신의 백성에게 처벌받을 수 없는 거야.
훌쩍
내 밭의 작물들이 엉망이 되어버렸네….
허나 어찌할 수 있나.

또한 국가의 목적이 사람들의 평화와 안전을 보장하는 것이므로 목적을 달성하는 수단에 대해서도 권리를 가져.
평화

따라서 평화와 방어의 수단이나
뭐? 그런 연설을 하고 있다고?
수군
수군

평화의 방해물을 판단할 권리는
우리는 노예가 아닙니다. 왜 질질 끌려 다녀야 합니까?
저런….
왕

통치자에게 있는 거지.
불순한 선동자!
함부로 나서지 마!

여섯째, 따라서 통치자는 어떤 견해가 나쁜 것인지 판단할 수 있고
국가 안전을 위협하는 생각에 대해서 용서치 않으리!

책이 출판되기 전에 그 책들을 검열할지를 결정할 수 있어.
《아테네의 정치 예술》 이란 책을 가져와보게.
턱
넵!
~ 12월 출판될 책의 목록 ~
* 맛있는 케이크 만들기
* 나는 그를 사랑했었네
* 해리 포터와 비밀의 빵
* 아테네의 정치 예술
* 사자의 생태
* 기초부터 배우는 중국어

사람들의 행동은
폭군은 물러가라!
물러가라!

그들의 생각으로부터 나오는 것이기 때문에
민주주의만이 우리가 나아갈 길이야.
모든 것의 기초는 우리들이므로 우리들의 생각이 정치에 반영되어야 하는 것이 마땅해.

사람들의 생각을 잘 다스리지 못한다면
폭군으로부터 벗어났을 때 국민은 진정한 자유를 느낄 수 있으며….
국민의….

사람들의 행동을 잘 지배할 수가 없을 거야.
짝
악
헉!

결국 사람들의 생각을 지배하는 책에 대해 사전 검열하는 것은 필요하고
폭군을 처단하는 것은 정의이다.
오직 모든 국민이 정치에 관여할 때만 모든 국민은 행복할 수 있으며…
얼씨구?

그 검열권은 통치자에게 있는 거야.
이 책은 백성들을 선동하여 국가를 혼란에 빠뜨릴 수 있으므로 출판을 금한다.
화르르

하하하, 그래서 《리바이어던》도 금서가 되었잖아요!
허허

일곱째, 통치권에는 규칙을 제정하는 권한이 포함되어 있어.
규칙

이 규칙을 통해 사람들은 자신의 동료 시민을 방해하지 않고
국왕께서 새로이 제정하신 법입니다.
규칙

자신이 하고 싶은 행동을 할 수 있게 되지.
길에 수레를 10분 이상 주인 없이 세워두면 불법이라고?
하긴 그런 경우에 아주 난감하곤 했지.

이렇게 시민들이 행동하는 데 필요한 선과 악,
이 수레 주인 어디 있소?
여기 있소! 제가 볼 일이 좀 급해서, 앗!
벌금 물까봐 멀리서도 못 누겠네.

합법적인 것과 비합법적인 것에 대한 규칙이

국가의 시민법이야.
착
시민법

여덟째, 통치권에는 모든 분쟁을 듣고
저놈이 어젯밤 제 보석을 훔쳐 갔습니다.
아닙니다. 저는 그런 적이 없습니다.

판단할 수 있는 재판권이 있지.
그래? 그럼 넌 어젯밤 무엇을 했지?
예?
샤, 샤워를 했는데요?

다른 사람의 불법 행위로부터 한 시민을 보호하는 것은
흐음. 어젯밤에는 도시 전체가 단수 상태였는데 샤워를 했다고?
이런, 걸렸네!

분쟁의 해결 없이는 불가능한 거야.
저놈에게서 보석을 거두고 감옥에 가두어라!
흑흑

재판권이 없다면 모든 사람들은 자신의 힘으로
너 이 자식! 어젯밤에 내 보석을 훔쳤지!
증거 있어? 내가 그랬다는 증거가 있냐고.

자신을 보호하려는 자연 욕구에 따르게 될 거야.
내 보석이 어디에 있는지 안 불면 찔러버리겠다!
누군 칼이 없는 줄 아느냐!

이것은 국가를 설립한 목적과 반대가 되는 전쟁 상태를 불러일으키게 되는 거지.
와아
챙
챙
와아

아홉째, 통치권에는 다른 나라와 전쟁을 할지
이 나라는 토지가 비옥하지. 게다가 선왕이 죽은 지 얼마 안 되어 나라의 힘도 약해.
여기를 치자.

평화를 맺을지를 결정할 권리를 포함하고 있어.
이 나라는 섣불리 치다가는 오히려 당하기 십상이다.
사신을 보내어 선물을 주거라.

즉 공공의 선을 위해 얼마나 많은 군대가 무장되어야 하고
착착착

그것을 위해 비용이 얼마가 들고
식비에다… 숙소….
탁
탁
갑옷은 왜 이렇게 비싼 거야?

백성들에게 얼마의 세금을 징수할지를 결정할 수 있지.

국민을 보호하기 위한 힘은 군대에 있고

군대의 힘은 통치자의 명령 아래에 있는 거야.
착

열째, 통치권은 전쟁시나
외교부 장관이 외국으로 도망가 버렸습니다!
광
뭐? 그렇다면 다른 사람을 임명해야겠군.

평화시에
흐음. 자네가 파리 대학 법학과 수석 졸업생이라고?
그렇습니다.

모든 자문관, 장관, 재판관, 공무원들을 임명할 권리가 있어.

열한 번째로 통치자는 명예나
이번 전쟁의 승리는 모두 그대의 공이오.
영광입니다.
척

돈으로 상을 주거나

신체적이나
네가 감히 군사 기밀을 떠들고 다녀? 이놈을 쳐라!
으아악~
퍽

금전적으로
여기….
헉
국가에서 가택을 압수하며, 모든 재산을 몰수한다.

혹은 명예를 박탈함으로써 벌을 줄 권리가 있어.
돌아다니기 부끄럽지도 않나.
저 사람, 이제 더 이상 장군이 아냐.

그렇게 함으로써 백성들로 하여금
우와~ 왕에게 하사받은 돈으로 싹~ 리모델링했대.

국가에 봉사하는 것을 장려하거나
나도 언젠가는 보상을 받을 수 있을 거야!
탕탕

국가에 해가 되는 것을
한때 권세가 하늘을 찌르던 양반이….

막을 수 있을 거야.
우리도 입조심하세.
옳소, 낮말은 새가 듣고 밤말은 쥐가 듣는 법!

마지막으로 통치자는 명예를 주거나 서열과 작위를 임명할 수 있어.
으아~ 왕의 권한, 정말 많다!

홉스는 이런 통치자의 권리들은 양도될 수 없고
또한 분리될 수도 없다고 했어.
권리
권
리

만약 군사권을 양도한다면
군대에 대한 권리는 당신에게 넘기겠소.
오~…

사법권은 아무 의미가 없어.
남의 것을 도둑질 했으니 그 열 배에 해당하는 물품으로 돌려주어라.

그렇게 되면
우르르
엥?

법을 시행하는 실제의 힘을 잃게
되기 때문이야.
싫소.
군대가 없으니 벌 줄 사람이 없겠지?

만약 통치자가 돈을 거둬들이는
권리를 양도한다면
귀찮아, 귀찮아.
군사비 장부

군대는 쓸모가 없을 테고
말 탈 힘이 없어 걷는다오.

정부가 사상을 지배할 권리를
양도한다면
세상이 왜 이렇게 어려운 걸까요?

국민들은 영적인 대상을 무서워한 나머지
신이 벌을 주는 거래.
덜덜
아이고, 무서워라!
언제 마귀의 손아귀에
우리가 넘겨갈지
아무도 모른다잖아.

반란을 일으킬 테니까 말이야.
신이여, 우리와 함께
하소서!
쿵

홉스는 모든 권리들 가운데 한 가지만
양도해도
쩌적

국가의 설립 목적인 평화와 보호를
이룰 수 없을 거라고 했어.
콸콸

나누어진 왕국은 그 자체로
지탱할 수 없다고 본 거야.

왕당파와 의회파의 치열한 대립을 보면서 홉스는 만약 영국에서
왕과 의원들 사이에 권력이 분립되어야 한다는 사상이 없었더라면
감히 신이 내려주신
왕권에 도전을 하다니!
와
와아
타락할 대로 타락하고
의회를 우습게 아는 왕은
필요없다!

국민들이 나누어져서 내란에 빠지지
않았을 거라고 생각한 거야.

통치자가 가지고 있는 강한 권력과
마찬가지로
붕
붕

통치자의 명예도 모든 백성들의
명예보다 더 위대해야 할 거야.
오오~
와
와
와

통치권은 모든 명예의 원천이고

경, 백작, 공작 등은 통치자가
창조한 명예가 되는 거야.

군주가 없을 때 그들은 서로를
빛나게 할 수 있을지는 몰라도
백작님 만세!
백작님 만세!

통치자 앞에서
앗! 저 쪽에 왕이 행차하신다!

그들은 태양 앞에 있는 별과 같은
존재들인 거야.
휘잉

별은 항상 그 자리에 있지만, 우리는 밤에만 별을 볼 수 있다네.
태애앵~
낮에는 태양이 너무 밝아서 별을 볼 수 없다네.

이번에는 성서를 한번
살펴볼까?
출애굽기

하느님의 대리자인 모세에 대해

이스라엘 자손들은 이렇게 말했어.
당신은 우리에게 말씀하소서. 우리가 들으리이다.
하느님이 우리에게 말씀하시지 않게 하소서. 우리가 죽을까 하나이다.

이는 모세에 대한 이스라엘 백성들의
절대적인 복종을 이야기하는 거야.

하인들의 복종에 대해 바울은
이렇게 말했어.
종들아, 모든 일에 육신의 주인들에게 순종하라.

이처럼 홉스는 이성적으로나
성서를 통해서 보더라도
쓰쓱

통치자의 권력은 상상할 수 있는 한
최대한으로
?

강대해야 한다고 했어.
쉬익
허걱!
쉬익

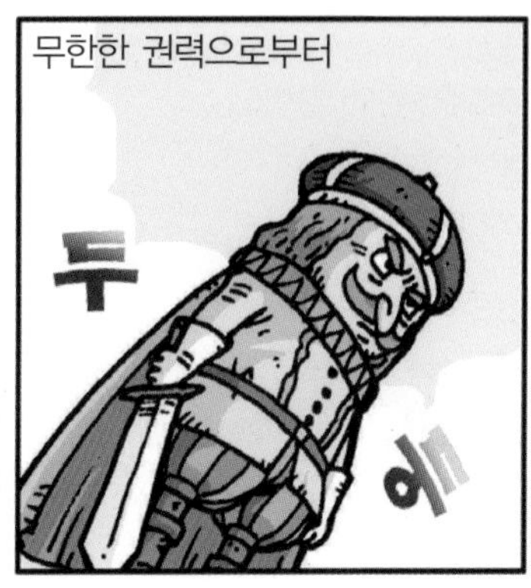
무한한 권력으로부터
두
웅

많은 나쁜 결과가 생길 수 있다고
우하하하하! 세상이
다 내 것이다!
촤악

사람들이 생각할 수 있지만
한번 찍히면 재산을
다 몰수당할지도 몰라!
자기 성을 거대하게
짓도록 노동을 착취
당할지도 모르지!

통치권이 없을 때 생기는
폐
쇄

만인의 만인에 대한 끊임없는 투쟁 상태,
이것이 가장 나쁘다는 거야.
퍽
윽!
쿵
까악

이렇게 홉스는 통치권의 절대성을
주장하면서
절대권력

통치자가 입법, 사법, 행정권 모두를
장악하는 절대주의를 주장해.
입법
사법
행정

그런데… 뭔가
잊은 게 있는 것
같은데….

그렇지! 통치권에는 근본적인
제한이 있어.
철컹
?

통치권이 통치자와 백성 간의 계약의
결과라는 것 말이야.
계약
꿍!
철컥

백성은 통치를 받는 사람이지만 동시에
계약의 당사자잖아.
계약

통치자는 백성의 대리인이
라는 것을 잊지 말아야지요!
씨익

또한 백성들이 모든 권리를
통치자에게 위임한 것은 아니었어.
이 권리는 양도할
수 없지!

자신의 생명을 보존하기 위해
헉! 걸렸다!
왕의
X-file

저항할 수 있는 권리는
그놈을
찾아라!
두두두

어떤 경우라도 통치자에게
양도할 수 없었잖아.
씽~
걸음아
나 살려라~

자기 생명을 위협하는 대상에
대하여
네가 국가 기밀을
팔아넘긴 놈이냐?
덜덜

설령 그것이 군주일지라도
에잇,
죽어라!
으으~

저항할 수 있는 권리가 있는 거야.
악!
파

이… 이럴 수가
나는 왕인데….

통치권의 절대화는 최선의 수단일 뿐
통치권의 절대화

그 자체로 목적은 아니야.
자기보존과 평화
철썩

백성들이 통치자에게 권리를 양도하는 목적이 자기 보존과 평화이기 때문에
우리의 안전을 보장해 주십시오.
척

군주가 통치를 휘두르는 것 역시

그 목적을 실행할 때만 유효한 것이지.
챙
와

통치권의 필수적인 권리들이 제거되면
흔들
흔들

국가는 무너지고
와르르르

인간들은 다시 전쟁 상태로 되돌아가기 때문에
내가 잘났네~
내가 잘났네~
옥신
각신

통치권의 권리를 온전하게 유지하는 것이 통치자의 직무야.
세금을 걷어 전쟁 준비를 하라!

통치권의 권리들 중 어느 하나라도 타인에게 양도하거나
다른 일들도 바쁘실 텐데,
책 검사에 대한 모든 권한은 저에게 넘기시는 게….

스스로 포기하는 것은 통치자가 의무를 어기는 일이야.
불순한 놈!
감히 누구의 권리를 탐하는고!

또한 국민들이 이웃 나라의 정부 형태를 보고
사람들이 모여서 국정을 의논하고 있는 것 좀 봐.

그것이 더 좋다고 생각해서
한 사람의 머리보다 아무래도 여러 사람의 머리에서 좋은 생각이 나오는 거 아니겠어?

자신들의 정부 형태를 바꾸려는 생각이 들지 않도록 가르쳐야 해.
우리도 한번 바꿔봐?!

국민들이 오직 통치자에게만 해야 할 복종과 존경을 다른 사람에게 하고
엥? 저 사람들은 어딜 보고 있는 거야?

그의 덕을 찬양하며
오~ 현명하신 분이여!
우리에게 가르침을 주십시오!

따르도록 내버려 두어서도 안 돼.

또한 통치자를 비난하는 것이 매우 잘못된 일임을 가르쳐야 하지.
왕은 그 나라를 너무 두려워해.
우리가 먼저 치면 충분히 승산이 있는데 말이지.
굉장한 겁쟁이임에 틀림없어.

또한 통치자는 정의가 모든 계층의 사람들에게 평등하게 시행되어

사람들이 공정하게 자신의 소유물을 가질 수 있도록 해야 해.
올해의 몫을 받았소.

홉스는 정부의 형태는 세 가지로 나뉜다고 했어.

한 사람이 최고 권력을 가지는 정부 형태를 군주 정치라고 하고,
나의 왕권을 능가할 자 누구냐!

모든 사람들이 정치에 참여하는 것을
반
찬
반
찬

민주 정치라고 하고,
찬성이 4571, 반대가 4582. 고로 중앙 공원의 울타리는 흰색으로 칠하겠습니다!
※ 울타리 도색에 대한 투표
·찬성
·반대

정치, 외교, 군사상의 중요한 결정이
그렇다면 이 5군데에 봉화대를 설치하기로 합시다.

선택된 소수의 지배자에 의해 이루어지는 것을 귀족 정치라고 해.
아래의 다섯 지역에 봉화대를 설치할 예정임

다른 형태의 정부는 존재할 수 없어.
역사책에 폭군 정치, 과두 정치 같은 말이 있는데요?
그것들은 동일한 정부 형태의 혐오스러운 이름일 뿐이야.

군주 정치 아래에서 불만을 품은 사람들은
저놈의 재산을 몰수하고, 이 나라에서 추방시켜라!
버럭
!!

그것을 폭군 정치라 부르고,
저런 폭군이 있나.
이 훌륭한 사람을 추방시키다니!

귀족 정치를 싫어하는 사람들은
내가 옳아!
내 의견이 최고야!
이 법안만 통과시키면 지주한테 돈을 받지롱~

그것을 과두 정치라 부르지.
귀족들이 타락했어.
자기들 먹고 살 궁리만 하는구만….

민주 정치에 불만이 있는 사람들은
내일도 지하철 운행은 불가능할 것으로 보입니다.
임금인상하라!!!

민주 정치를 정부의 부재를 의미하는 무정부주의라고 부르게 되는 거야.
도대체 정부는 힘이 있는 거야, 없는 거야.
다들 지들 멋대로 구나 참….

《리바이어던》에서 홉스는 군주제에 대한 선호를 보여주고 있어.
I ♥ 군주제

군주제를 다른 형태의 정부들과 비교하면서 군주제의 장점에 대해 말하고 있거든.
리바이어던

하지만 홉스가 군주제를 맹목적으로 추종한 것은 아니야.
홉스는 어째 존경하는 눈빛이 아니라 관찰하는 눈빛이란 말이지….

나는 안전이라는 목적을 달성하기 위해 군주제가 여러 가지 이유들에서 상대적으로 다른 것들보다 효율적이라고 본 거야.
그 이유는 다음과 같아.

첫째, 공적인 이익과 사적인 이익이 교차하는 경우에
나라의 굳건함
내 통장의 돈

사람들은 사익을 선호하게 돼.
끼이익
나라의 굳건함
내 통장의 돈

사람의 열정은 이성보다 더 강하기 때문이야.
여기 군사 기지가 표시된 지도가 있소.
돈을 주시오.

그러나 군주제에서는 공익과 사익이 동일하지.
나라의 굳건함 = 내 통장의 돈

약한 백성을 가진 통치자는 약하고
추, 출격하라!
차라리 죽여

통치할 수 있는 힘이 없는 통치자를 가진 백성은 약해.
야, 너희 나라 비단이 그렇게 좋다는데 좀 가져와 봐라.

마찬가지로 강한 나라의 통치자는
강하고,

강한 통치자를 가진 백성은 강하지.
저 나라 애들을 건드렸다간 우리 목이 성문 앞에 내걸릴 거야.

그러나 귀족 정치나
민주 정치에서는

공적인 번영이 타락하고 야심적인 한 사람의 개인적인 재산을
늘려주지는 않아.
이곳에서 양질의 옥수수를 수입하면, 보릿고개 때 백성들과 군사들이 굶지 않아도 되어 국력이 강해집니다.
흐음~ 그러면 내 밭에서 나는 옥수수 값도 덩달아 떨어질 것이 아닌가?

오히려 불성실하고 변덕스러운
조언이나 행동,
몇 년째 풍년인데 지나친 걱정 아니오?
미리 준비해 두어 나쁠 게 없지 않소?

그리고 내란을 불러일으킬 뿐이야.
말이면 다인 줄 알아?
네 잇속 챙기려는 거 누가 모를 줄 아느냐!
아웅
다웅

둘째, 군주는 언제든지 그가 원하는 때와 장소에서
이웃 나라에서 사신이 왔습니다.
당당

원하는 사람으로부터
국경 근처에서 매일 낚시를 하는 노인을 불러다오.
예.

자문을 구할 수가 있어.
사신에 대한 처우를 어떻게 하는 것이 좋겠는가?
깍듯이 하지 않으면 후환이 있지 않겠는가?

행동으로 옮기기 전에
그 나라는 겉으로는 강대해 보이나 속은 썩을 대로 썩어 있습니다.
고자세로 나가는 것이 좋을 듯합니다.

군주는 전문가들의 의견을 들어
사신에게 내가 지금 나랏일로 바쁘니 성 근처에서 머물다 3일 후 다시 찾아오라 해라.

더 현명한 결정을 내릴 수 있지.
쳇, 이 나라는 우리가 힘없음을 눈치챘구나.
돈을 꾸려던 목적을 이룰 수가 없겠어.
돌아가야겠다.

그러나 의회 통치하에서는
의회
똑
똑

권한을 가진 사람만이 조언을 할 수 있고
이웃 나라에서 사신이 왔다고 들었는데 긴히 드릴 말씀이 있습니다.
당신은 의원이 아니잖아? 당신에게는 그런 권한이 없소!

그런 권한을 가진 사람일지라도 자신의 부를 획득하는 데 관심이 많아서
전쟁 자금 일부를 지원해 준다면 정복하는 땅의 30%를 넘기겠다는 제의를 하러 왔다고 의원들에게 전해 주오.

올바른 조언을 한다고 볼 수는 없어.
30%?
극진히 대접하여야겠소.

그래서 결국 나라에 이득이 안 되는 쪽으로 결정되기 쉽지.
전쟁 자금이 얼마나 필요하신데요?
서로 돕는 것은 이웃으로서 마땅한 도리이지요.

멍청한 놈들. 지금 우리나라 안이 휘청대는데 전쟁은 무슨 전쟁!
후
후

셋째, 군주의 결정은 일관성을 지킬 수 있지만
이곳에 망루를 세우면 적의 침입을 쉽게 감지할 수 있을 것이다.
망루를 건설하도록 하라.

의회 같은 협의체에서는
이곳에 망루를 세울 것인지, 신무기를 들여올 것인지 의견을 말씀해 주십시오.

숫자에 의해서 일관성이 없어지게 되지.
그럼, 망루로 결정되었습니다.
쳇!

반대 의견을 가지는 소수의 태만이나
오늘 중에 벽돌이 운반되었어야 하는데요?
흐음~ 날이 더워서 일꾼들이 집에 갔나?

방해에 의해
내가 들여오려다 실패한 신무기인 '뉴 석궁 102' 샘플을 하나 겨우 구했는데 한번 보게.

어제 결정된 것이
우와, 이거 근사하구만!
다섯 개를 사면 한 개는 그냥 준다는데~

오늘 실행되지 않을 수 있는 거야.
망루 건설 확정
뉴 석궁102 구입으로 변경

넷째, 군주는 시기심이나 이익 때문에 잘못된 결정을 하지 않지만
나보다 힘을 더 가진 사람이 있어야 시기를 하지.

의회는 의견 차이로
이번에도 우리 쪽 의견이 받아들여지지 않다니….

내전을 일으킬 수도 있는 거야.
틀림없이 너희쪽 무슨 배후가 있지?
무슨 소리냐, 멍청한 녀석들이!
우당탕

다섯째, 군주 정치에서는
오늘도 왕에게 감언이설을 늘어놓으려면 혀를 풀어놔야지!

아첨하는 한 사람의 힘에 의해
정말 훌륭한 결정이세요!
이처럼 만사에 현명한 결정을 내리는 지도자는 전에도 없었고, 후에도 없을 거예요!
누가 전하를 흠숭하지 않겠어요!

어떤 백성이라도
저, 그런데 제가 여기 오는 길에 얼핏 듣지 말아야 될 얘기를 들은 것 같은데…
응? 무슨 얘기?

소유하고 있는 모든 재산을 빼앗길 수 있어.
다 들었다. 국가의 은혜도 모르는 놈.
??

평생 충성을 다했건만 저 간사한 녀석 때문에 모든 걸 잃었구나.
덜컹 덜컹
질 질

그러나 의회 정치에서도 이런 일은 마찬가지로 일어날 수 있지.
의원님~
고매하신 의원님~

여섯째, 군주제의 문제점은 통치권이

어린아이나
쿵~

선과 악을 분별하지 못하는 사람에게 계승될 수 있다는 거야.
비틀
비틀

그래서 군주의 권력이 보호자나 후견인의 이름으로
선왕이 왕에 오른 지 8개월 만에 죽었으니, 이제 내 아들이 왕이다.
왕이 이제 12살에 불과하니, 내가 옆에서 돕는 것이 마땅하다.

다른 사람에게 있을 수가 있어.

그러나 홉스는 통치권에 대해 잘 교육받지 못하고 부정의와 야망이 있는 곳에서는
의원님이 이번에도 잘 해주길 바라오.
$

통치 형태에 상관없이 이런 문제점이 똑같이 발생한다고 했어.
에… 그러니까… 여기다 다리를 세워야 된다~ 이거죠!
저놈은 우리의 꼭두각시지.

통치자의 옆에는 조언자들이 있기 마련이야.
...속닥 속닥...

삼국지에서 유비가
제갈공명을 뵈러 왔습니다.
공명님은 오늘 안 계십니다.

지혜로운 참모인 제갈공명을 얻기 위해
제갈공명을 뵈러 왔습니다.
오늘도 안 계십니다.

삼고초려했던 것처럼
제갈공명을 뵈러 왔습니다.
유비 형님이 뭐하러 이 누추한 초가를 세 번이나 방문한단 말이오?
끼이익

좋은 조언자들을 선택하는 것은 통치자가 해야 할 일이야.
내가 제갈공명을 얻음은 물고기가 물을 만난 것과 같다.

명령이 말하는 사람의 이익을 위한 것이라면
목욕물을 받고, 장미 꽃잎을 띄워주게.
예.

조언은 다른 사람의 이익을 위한 것이야.
지금 성을 확장해서는 안 됩니다.
군대 재정비가 우선입니다.

복종하겠다는 약속을 한 사람에게는 명령을 받은 바를 수행해야 할 의무가 있지만
촤악~

조언을 받은 사람은
흠..

반드시 그것을 수행해야 하는 건 아니야.
나는 굳건한 성이야말로 나라의 권한을 세우는 길이라 생각하네.
땅 땅

'권고'나
그 아첨꾼을 반드시, 반드시 잘라내셔야 합니다.

'말림'은
안 됩니다.
지금은 그 나라를 칠 때가 아닙니다.
힘을 더 길러야 합니다.

들어주기를 간절히 바라는 마음의 표시가 담긴 조언이야.

좋은 조언자가 되려면
좋은 조언자가 되기 위해서는 몇 가지 기억해 둘 것이 있어.

첫째, 조언자의 목적과 관심은
그 나라를 치려고 하는데 어떻게 생각하시오?

조언을 받는 사람의 목적이나 관심과 일치해야 해.
그 나라에는 충성을 다하는 기라성 같은 장군들이 여럿 있습니다. 신중히 결정하셔야 합니다.
승산이 없는 전쟁을 일으킴으로써 백성들을 잃고, 국고를 비게 해서는 안 된다!

둘째, 조언자는 조언을 받는 사람이 진실되고 명백하게 알 수 있는 방법들로
또한 지형이 험준하고 길이 좁아 적이 매복할 장소가 많습니다.

조언의 결과들을 분명히 해야 해.
그러므로 지형을 잘 아는 적에게 우리 군대가 쉽게 전멸할 수 있습니다.

경솔하고 증거가 불충분한 추론,
그놈이 두리번 두리번 걷는 걸로 봐서 적과 내통한 게 틀림없습니다!

책의 권위에서 뽑아낸 것,
홉스라는 엄청 똑똑한 사람이 쓴 책을 보면 말이죠.

애매모호한 표현이나 비유적인 말들을 사용하면 안 돼.
들녘의 산들바람처럼 그들을 대하셔야 합니다.
밑빠진 독에 물을 부어서야 되겠습니까?
??
어쩌란 얘기오?

셋째로 누구라도 좋은 조언자가 될 수 있다고
왕이 요즘 너무 밥을 못 드셔.
그러게요, 표정도 어두우신게… 우리가 조언을 해드립시다!

생각해서도 안 돼.
텅-..
어이쿠!

충분히 알고 있는 주제여야 할 뿐만 아니라
농촌의 현실
작물의 선택
농업의 기초
버섯
종자에 대하여
농사
쌀.보리 기르기

많이 생각하고 고려한 일에 대해서만

좋은 조언자가 될 수 있지.
고지대에 있는 밭에 감자를 심으십시오. 감자는 고랭지에서 잘 자라며 저장 기간도 기니, 지금 꼭 필요한 작물입니다.

넷째, 다른 나라에 관한 일로 국가에 조언하기 위해서는
이웃 나라가 바닷길을 내주지 않아 배들이 나갈 수가 없다니….

정보와 문서,
국경에 대한 합의
제 4차 해상권 협정
개척과 봉쇄

국가 사이에 맺은 조약과 협정에 관한 기록들을 잘 알아야 해.
선왕이 이웃 나라와 맺은 조약을 보면 무역을 그 목적으로 하는 선박에 한하여 자유로이….

다섯째로 조언자를 한 명씩 따로 두고 조언을 듣는 것이
대기 9

합의체에서 듣는 것보다 더 좋은 조언을 얻을 수 있어.
그 장군은 주변의 평판과는 달리 탐욕스러운 사람입니다.
흐음…

많은 눈이 하나의 눈보다

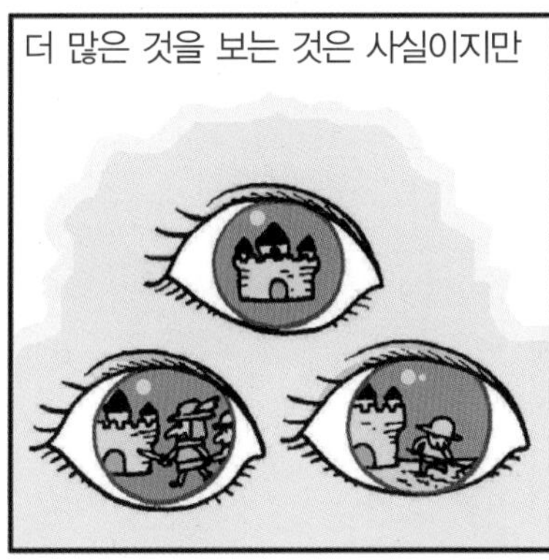
더 많은 것을 보는 것은 사실이지만

이것이 곧 많은 조언을 받아들이는 것이 좋다는 얘기는 아니야.
웅성 웅성

사냥총을 들고 겨냥을 할 때처럼 말이야.
표적을 놓치지 않으려는 사람은 두 눈을 사용하여 살펴보지만, 겨냥을 할 때에는 한쪽 눈만 쓰는 법이지.
탕

와
히히히!

통치자에 의해 어떤 공직에 고용된 사람으로
그대에게 총사령관의 직위를 내린다.
척

그 일에 관한 한 권위를 가진 사람을 '공적인 대리자'라고 해.
이제 군대는 내가 통솔하게 되었다.
와
와아
나를 믿고 따르라.

이들 중에는 영토 전체 혹은 일부에 대해 행정 책임을 맡는 사람이 있어.
흠.

군사에 관한 권위를 가지고 전쟁을 수행하는 데 필요한 물품을 제공하는 사람들도 공적인 대리자야.
척척척

국가의 경제에 관한 의무를 지고 있는 사람들도 있지.
그쪽 부서에 할당된 것이 이만큼일세.

통치권에 대해 백성들의 의무를 알게 함으로써 그들이 평화롭게 살 수 있도록 가르치는 사람도.
통치권의 절대성

재판관처럼 사법권이 주어진 사람도 공적인 대리자야.
탕
탕
탕

이들은 통치자에게 봉사하며 명령에 어긋나는 일이나
사령관님, 저희가 집합한 지 이레째인데, 도대체 언제 적진을 공격하실 겁니까?
병사들의 사기가 떨어지고 있습니다.

통치자의 권위가 없이는 어떤 일도 할 수 없어.
우리가 공격할 수 있는 건, 왕께서 그리하라고 명하실 때뿐이네!

왕이 이렇게 권리가 많고, 힘도 세고, 그 밑에 사람도 많으면, 백성들은 무슨 자유가 있겠어요!
그럼, 이번엔 백성의 자유에 대해 알아볼까?

백성의 자유에
관하여

와아~ 자유의
여신상이다.
자유가 무슨
뜻일까?

내가 하고 싶은 것을
마음대로 할 수 있는 거요!
좋은 대답이야.

모든 살아 있는 생명체가 감금되어
있거나 쇠사슬로 묶여 있을 때
컹
컹

움직일 수 있는 자유가 없다고
말하지.
너도 나처럼
자유가 없구나….

홉스는 자유를 '반대가 없는 상태' 라고 보았고
보라, 저 산천초목~
아름다운 계절일세~

반대란 운동을 외부에서 방해하는 것을
의미한다고 정의했어.
어어~
쾅
이힝~

자유로운 사람이란 자신의 힘이나
재능으로 할 수 있는 것 중에
칫, 오락이나
해야겠다.
앗싸, 좀만 더
하면 레벨 업!

자신이 하고 싶은 것을
요 녀석,
숙제부터 해야지!
피융융

방해받지 않고 하는 것을 의미해.
잉~ 나에게
자유란 없는가!
공부할 자유에
대해서는
한번도 말해본
적 없지?

필연이라는 말 들어봤어?
우리가 만난 건 우연이 아니고 필연입니다. 하늘이 정해준 인연이라고요!
우엑, 낯간지러!

'반드시 그렇게 된다' 는 게 필연이야. 나는 자유와 필연적인 것은 일치한다고 생각해.

물은 자유롭게 흐르지만
졸졸

반드시 수로를 따라 내려오게 되어 있어.
퐁

결국 물이 마음대로 흐를 자유와 수로 안에서만 움직여야 하는 필연은 일치하는 거야.

사람들이 자발적으로 하는 행동은
뚝딱

자신들의 자유로운 의지에서 나오지만
날이 추워지는데 초가집으로는 부족해.
흠..

그들의 행동은 이런 저런 연유들로 시작이 되고
끼릭

최우선적으로 하느님의 손에 연결되어 있다는 거야.

손오공이 아무리 날고 뛰고 까불어 봤자
우히히히~
나 잡아봐라~
휙

부처님 손바닥 안이잖아.
우히히히~ 누가 나를 잡을 수 있겠어!
팡
팡

홉스에 따르면 법은 울타리와 같아.

울타리는 도둑을 막고
쳇! 울타리가 높아 들어갈 수가 없네!

자신의 생명과 재산을 보호하는 기능도 하지만
으아~ 큰일 날 뻔했네.

또한 사람들로 하여금 안전하게 길을 가도록 안내하는 역할도 해.

이처럼 법의 효용도 국민들을 금지하고 구속하는 데 있는 것이 아니라

백성들이 충동적인 정념,
휙
죽어라~ 이 녀석! 뒤에서 내 흉을 보고 다녔다고?

혹은 무분별함 때문에 스스로를 상처 입히지 않고
탁
저 녀석이 내 열매를 따 먹다니!

안전하게 제한된 자유를
너는 남의 열매를 따 먹으면 안 되고
법

향유할 수 있도록 하는 데 있지.
너는 함부로 사람을 죽일 수 없다.
법

법이 없을 때에는 모든 사람에게 모든 자유가 있게 되고
이런 법이 어딨어.
법이 아예 없다니까!
아옹다옹

이것은 인간의 이기적인 본성 때문에 결과적으로 모두를 파멸시키므로

사람들은 평화와 자기 보존을 위해
국가라는 인공적 인격을 만들고
이대로는 안
되겠어.

'시민법' 이라 불리는 인공적인
쇠사슬을 만들고
철컥

스스로를 구속하는 거야.
시민법

자연적인 자유를 포기하고 대신 통치자와
그의 법에 복종할 것을 약속함으로써

백성들은 제한된 자유를 얻게 돼.
우리는 이
길로만 가야해.
저쪽 길이 땅도
고르고 더 쉬워
보이는데….
나는 내 멋대로
저 길로
갈거지롱~.

법에 의해 허용된 만큼의 이 자유를 정치적 자유라고 하는데
이것이야말로 진정한 자유인 거야.

백성들이 국가 안에서 누릴 수 있는
자유에는 어떤 것이 있을까?
이 길로 갈 수밖에
없지만 나는 기차를
타고 가고 있지!
나는 자전거로
가고 있지!
나는 축지법을
쓰고 있다네!

사람들의 모든 행동과 말을 규제할
규칙을 가진 국가는 존재하지 않지.
둘째아이 돌잔치에서의 규칙
진주반지 소유에 대한
옥수수 스프를 끓이는
비 오는 날에 길을 걷는 규칙

결국 사람들은 법이 허용하는
모든 행위 중에서
비단을 팔 가게를
구해야 하는데….
상점의 위치는
내가 그 상점을
살 수 있는 능력이
있는 한 어디든
가능한 거지?

자신의 이성이 제시하는
자신에게 가장 이로운 것을 할
흠~ 그러면 최대한
주변에 비단 가게가 없는
곳으로 가야겠구만.
Silk

자유가 있는 거야.
어머! 비단 가게네?
이제 이웃 마을까지 가지 않아도 되겠어.
SHOP

백성들은 통치자가 허락하는 범위 내에서 물건을 사고 팔고
여기 아이스크림 두 개만 주시오.
여기 있습니다.

서로 계약을 맺을 수 있고
그럼, 내일부터 이 가게는 내 소유가 되지요?
그렇소.

주거의 자유도 있고 생업도 자유롭게 선택할 수 있어.
나는 농사를 지으러 나가보겠네.

자식들을 기르는 데 있어서
아이가 너무 똑똑하여 학교 수업이 지루한 모양이던데.
저를 닮아서 머리가 좋아요.
호호호

자신들이 좋다고 생각하는 대로 할 수 있지.
선진국으로 유학을 보냅시다!
좋은 생각이오.

그러나 국가에 저항하는 자유는
군대를 유지하기 위한 세금을 내시오.
싫소, 내가 왜?

통치권으로부터 우리를 보호할 수단을 앗아가서
도저히 군대를 유지할 수가 없습니다.
군인들이 떠나고 있습니다.

통치권의 본질을 파괴해.
히히히, 범죄가 걸린다고 해도 군대가 없으니 국가는 처벌할 힘이 없지!
흑흑… 세금 낼 걸.

그러므로 사람들을 방어하기 위한 국가의 칼에 저항할 자유는 아무에게도 없어.
척

그렇지만 통치자가 명령한 일이라도 거부할 수 있는 백성의 자유도 있어.
NO

백성들은 평화와 자기 보존을 위해 국가를 설립한 것이기 때문에 신체를 방어하지 못하게 하는 신약은 무효가 돼.

만약 통치자가 정당하게라도

자살을 명하거나,

스스로를 상해 입힐 것을 명령하거나

자신을 공격하는 사람에게 저항하지 못하게 하거나,

그것이 없으면 죽게 되는 데도 음식이나 약을 사용하지 못하게 한다면

그 사람은 복종하지 않을 자유가 있어.

또한 어떤 사람이 자신이 행한 범죄에 대해

통치권으로부터 심문을 받는다면

그 사람은 자백을 하지 않을 자유가 있어.

자신에게 불리한 말을 함으로써

자신의 생명 보존을
그래, 너는 너무 억울해서 그냥 한 대 친다는 게 그렇게 된 거야. 그렇지?
잘 아시네. 맞아요!

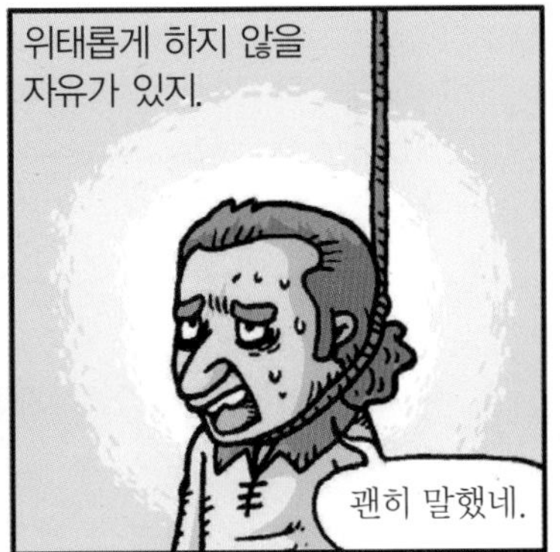
위태롭게 하지 않을 자유가 있지.
괜히 말했네.

정치적 계약은 오직 자기 보호라는 목적을 달성하기 위한 수단인 거야.
John. H. Stanley

이처럼 자신에게 불리한 증언을 거부할 수 있는 권리는 양도될 수 없다는 것이 나의 생각이었고

이는 현대 사회에서도 그대로 적용되고 있어.
역시 앞서 가신다니까.
1관 상영중

영화를 보면 자주 나오는 '미란다 원칙'이 바로 그거야.
거기 서라!
너 같으면 서겠냐!

범인을 잡은 경찰이 제일 먼저 하는 말이 바로 미란다 원칙이야.
철컥
당신은 묵비권을 행사할 수 있으며…

괜찮으십니까?
고, 고마워요.

우리가 만난 건 우연이 아니고 필연입니다.
이거 어디서 본 영화인데.

마지막으로 적에 대항하여
전쟁이다!
전쟁이 일어났다!

군인으로 싸울 명령을 받은 사람이 이를 거부할 수 있다는 거야.
여기, 아이잭 씨의 영장이 나왔습니다.
내일 오전까지 소집해 주십시오.
나는 전쟁에 나가서 목숨을 잃을 수 없어!

생명의 보존을 위태롭게 할 수 있는 병역의 의무는
계약의 내용이 될 수 없다는 거지.
내…내가 죽으면….
이보게! 정신을 차리게!
으으….

전쟁에서 탈영을 하는 경우

그가 반역 때문이 아니라 두려움
때문에 그랬다면
뭐? 도망을 쳐?
전우의 죽음을 곁에서 보고 충격을 받은 것 같습니다.

비겁하다고 비난은 받을지언정
비겁하고 이기적인 놈. 그 놈 때문에 군대 사기가 떨어질까 걱정이군.

부정의하다고 볼 수는 없어.
내가 죽으면 승리가 무슨 소용인가.

계속해서 강조하지만, 사람들이 복종을 하는 목적은 자신의 보호에 있는 거야.

통치권에 복종할 백성의 의무는
우리를 지켜 주십시오.

통치자가 백성을 보호할 수
있는 힘이

지속될 때까지만이야.
아이고, 나도 이제 늙었구나.
판단력도 떨어져서 전쟁을 해도 패배만 거듭하니….

사람들에게는 아무도 자신을
보호해 줄 수 없을 때에는
저… 저놈을 당장, 콜록 콜록!

선천적으로 스스로가 자신을
보호할 권리가 있어.
켁!

사람들은 다른 사람의 칼에서
보호처를 찾을 때
팅
팅
팅

그것에 복종하고, 그 보호처를
유지시키려 하는 것이지.
눈이 부실 때까지
광을 내자!
쓱쓱
당연한
말씀!

복종의 대상이 보호를 제공해
주지 못한다면
이제 칼이 많이
낡고 군데군데
이가 빠졌어.

더 이상 복종할 이유가 없게 돼.
조각 내서
그릇이나 만드세.

통치권을 만든 사람들의 의도는
그것을 영속시키는 것에 있지만
통치권
이 힘이 우리를 영원히
지켜줄 것이다.

사람들의 무지와 열정에 의한
저 힘 때문에 할 수
없는 것들이 너무
많아졌어!
내 욕심을 채우
기가 어려워졌어.

내전이 발생하는 경우에
와아~
전쟁이다.
새로운 힘을
만들자!
통치권
탕
탕
탕

통치권은 자연적으로 소멸돼.
통치권

또한 통치권은 외국과의
전쟁으로
일본이 침입
했습니다!

폭력적인 죽음을 맞기도 해.
명성 황후를 찾아라!
여우 사냥이 시작됐다!
와아
와

전쟁에 패배하는 경우
활활

통치권은 더 이상 국민들을 보호하지
못하게 되고
크허억!
고종 독살
완료!

결국 통치권은 자연 소멸되고 마는 거야.
おはよう ごじいます
이제 조선은 우리의 식민지
이므로 대일본 제국의 언어를
배움이 마땅하다.

만약 어떤 백성이 전쟁 중에
포로로 잡혀
P.O.W

승리자의 백성이 되는 조건으로
생명을 유지할 수 있다면
네가 나를 왕으로
모시고 충성을 바친다면
네 목숨을 살려주겠다.

그는 그 조건을 수락할 자유가 있어.
충성을 다하겠습니다.
끄벅

그 외에는 그의 생명을 보존할 방법이
없기 때문이지.
철컥

그 조건을 수락하면 승리자의
백성이 되어

승자에게 구속되게 되지.
앗! 너는 제2병대에
있던 마크?
이제 나는
이 나라 백성일세.

만약 군주가 자신과 상속자의 통치권을
포기한다면
더 이상 나는
왕이 아니다.
탁

그의 백성들은 자유 상태로 돌아가게 돼.
통치권도 없고, 백성도 없게 되는 거야.
?
?
또 전쟁 상태야?
으아~ 빨리 또
다른 힘을
세워야겠네!

국가의 양분과
번성에 관하여

영양분의 공급으로
감사히
먹겠습니다!

사람의 생명이 유지되듯이
후우~ 먹으니까 이제
움직일 힘이 나네!
불룩

국가의 생명을 유지하고 통치권을
사용하기 위해서는 영양분이
필요한데
국가

이것은 국가 경제의 영역이야.

홉스는 국가 경제를 잘 운영하기 위해
재정을 확보하는 방법,
뭐하니?
용돈 기입장
써요.
쓱쓱

부를 분배하는 원칙, 그리고 백성들의
소유권에 대해서 설명하고 있어.
좋은 자세이기는 한데,
잔액은 계속 0원이구나!
히히, 제가
사고 싶은 게
좀 많아요.

홉스는 국가의 영양분은 생명에
도움이 되는 물자의 풍부함과

그 분배에 있다고 보았고
한 해 동안 농사를 짓느라
고생 많았다. 한 사람당
네 포대씩 가져가도록 한다.

물질의 풍부함은 하느님이 하늘과 땅, 바다로부터
준 것으로 제한된 자연에 있다고 보았어.
그물을 끌어올리기도 힘들
정도로 많이 잡혔구나!
철썩
풍년호
철썩

하느님이 인간에게 무상으로 준
동물과
잡았다!
오늘 저녁은
멧돼지 바베큐다!
와
얏호!

식물,
탱글탱글 잘도
여물었네.

광물 등이 영양분이고

이 공동의 재산인 자연을
사유 재산으로 만들기 위해서는
드르륵

노동과 부지런함이 요구돼.
영차! 영차!
깡
깡

즉 풍부함은 신의 은총 다음으로
적당히 비가 와서 낟알
들이 수분을 흡수하고
무럭무럭 자라는구나.

사람의 노동에 전적으로 달려 있는 거야.
힘들게 잡초를 뽑았더니
올해는 더 풍년일세.
두두두두

물질의 분배란 소유권을 형성하는 거야.
이것은 나의 것,
이것은 너의 것.
그리고 이것은…
그의 것!

국가가 없는 곳에서는 전쟁 상태가
지속되고
네가 잡은 멧돼지를
내놓아라!

모든 소유권은 어떤 것을 얻어서
오늘 저녁도
굶겠구나….

힘으로 지킬 수 있을 때까지만
자신의 것이 되지.

결국 아무도 재산이 없는 불확실성만 남게 돼.
크크

내 것과 네 것을 구분하는 기준은 오직 통치권이 세워지고 법이 만들어진 후에나 가능해.

재산권의 도입은 국가를 세운 결과이고 통치 권력만이 재산권을 행사할 수 있는 거야.
쿵

이렇게 통치 권력이 재산권을 행사하는 것을 분배라고 하고
사냥꾼이 잡았으니 이것은 사냥꾼의 것이다.

'모든 사람에게 자신의 것을 분배하는 것'을 정의라고 하지.
와아

드디어 정의라는 말이 나왔구나!
멋진데?

백성들이 가진 재산권은 다른 사람들이 그것을 사용할 권리를 없애는 것이지만
여기는 우리 마당이야! 들어오지 마!
과일도 따먹지 마!

통치권으로부터의
착착착

완전한 독점권을 주장할 수 있는 것은 아니야.
여기에서 잠시 쉬었다 가자. 집주인은 말에게 먹일 여물을 가져와라.
알겠나이다.

이런 법이 어디 있어? 자기 마당이라 아무도 못 들어온다며!
아니에요. 국가가 공정하게 개인에게 사유 재산을 분배하긴 하지만….

모든 재화의 궁극적인 소유자는 국가 또는 통치자에 있는 거랍니다!
아….

만약 통치자가
이달 장부입니다.
거기 두고 가게.
착

돈에 대해 너무 무관심하거나
장부를 안 읽어 볼 게 뻔하지!

혹은 장기간 동안 많은 비용이 드는 전쟁에
여기서 물러설 수 없지!
이럴 때일수록 강하게 밀어 붙이자!

포탄을 사들여라!
낡은 갑옷은 회수하고 새 갑옷과 창으로 병사들을 무장시켜라!
탁 탁

공공의 재산을 쓰게 된다면
휴우… 텅 비었구나.
찍

정부가 해체되거나
우우~ 물러가라!
국민이 봉이냐!

자연 상태로 되는 경향이 있어.
세금 때문에 못 살겠다.
살려주세요.
호호

국내에서 토지를 분배하는 것과 마찬가지로
여기까지가 당신의 땅이오.

백성들이 해외에서 무역을 하는 장소와

상품을 지정하는 것도 역시 통치권에 속하는 거야.
수입품 리스트
목재, 석재, 향료
대포와 포탄
듣구, 비단

만약 어떤 개인이
큰 물로 나가야 큰 돈을 벌지!

무역을 자신의 마음대로 할 권한을 가지게 되면
저기에 물건을 내려놓아라!

어떤 이들은 이득을 얻기 위해서
헉! 여기서는 기껏해야 닷 닢에 팔리는 활을 그쪽 나라에 팔면 열 닢을 준다굽쇼?

적들에게 물자를 공급하여
세 개는 제가 서비스로 넣었습죠.

국가에 해를 끼치게 하거나
피융
으아악!
피융
크

혹은 사람들이 좋아하는 것이지만
이게 아주, 내놓기만 하면 무섭게 팔려.
20kg 사가겠소.
대마 1g 당 1파운드

사람들에게 해로운 물건을 수입해 올 수도 있고
비틀
비틀

혹은 무지로 인해 들여온 물건으로
이 색깔이며 광채를 보세요.
정말 아름답지 않습니까?
호수에 풀어 눈을 즐겁게 합시다.

국가에 해를 끼치게 될 거야.
호수에서 이게 무슨 썩은 내냐?
새로 들여온 물고기가 토종 물고기들을 모두 잡아 먹어 녹조류가 끼고 호수 생태계가 망가졌습니다.
퐁

모든 사람이 땅이나 재화
어이구, 이대로 두면 상하기 시작하겠구나.

그리고 유용한 기술에 대한 재산권을 가지게 되면
구두는 잔뜩 만들었는데 내가 다 신을 수는 없지.

사람들이 상호간에 남는 재산을
!
!

교환하는 것은 필요한 일이야.
아~ 맛있구나!
이제 신발을 질질 끌고 다니지 않아도 되겠구만!

백성들 간에 사고팔고, 빌리고, 빌려주는 모든 종류의 계약이
그건 얼마요?
어디, 흥정을 해 봅시다.

어떤 방식으로 되어지는가를 지정하는 권한도 국가에 있어.

화폐는 현재 사용하지는 않지만 미래를 위하여 어떤 물자를
여기, 비단 값이오.

필요로 하는 장소에서 가질 수 있도록 하는 기능이 있어.
좀 푹신푹신한 의자 없소?

금과 은 같은 화폐는 모든 나라들 사이에서 상품에 대한 편리한 가치 척도이고

국가의 통치권에 의해 만들어지는 화폐는

백성들 간에 모든 물건의 가치 척도가 되는 것이지.
어머~ 배추 값이 이렇게 뛰었어?
비가 많이 왔다더니….
G 마트
우유 500ml 000
배추 000
의류 000 신발 000
냉장고 0000
화장품 0000

땅에서 나는 열매를 먹음으로써 만들어지는 혈액이
냠냠.

사람의 신체를 순환하면서 모든 부분에 영양을 공급하듯이

화폐는 국가의 혈액과 같은 거야.

시민법에 관하여

'법' 하면 떠오르는 얘기가 뭐가 있지?
소크라테스!
척
맞아, 소크라테스는 코도 찌부러진 추한 용모였는데 그와 얘기하면 모두 그에게 매료되었다더군.

나는 너무 잘 생겨서 따돌림을 받았나?
하하하!

소크라테스가 누명을 쓰고 감옥에 갇혀 있을 때

그의 제자와 친구들이 탈옥을 권했어.
너를 가둔 법이 부당하니 그 때문에 죽을 필요가 없다.
길을 만들어 줄테니 탈옥해라.

하지만 소크라테스는 탈옥을 거부했어. 이렇게 말하면서 말이야.
두둥
악법도 법이다.

여기서의 '법'은 실정법이야. 자연법이 도덕에 관한 것이라면
만약 이것들을 지킨다면 우리는 서로 평화롭고 선하고 안전하게 살 수 있지.
자연법

실정법은 힘을 바탕으로 하는 법이야.
만약 이것들을 안 지킨다면… 으으….
실정법

그래서 실정법에는 실질적인 구속력이 있어.

국가가 만든 시민법은 실정법이야.
시민법

자연법은 국가가 생기기 전에도 존재하는 인간의 이성이 지시하는 법이었지.
멈칫
잠깐

'평화를 위해 노력해라', '용서를 하고 복수하지 마라' 이런 것들 말이야.
좋아, 너는 내 빵을 빼앗았지만 평화를 위해 내가 용서해주지.

인간의 이기적인 본성 때문에 자연법은 지켜지기 어려웠잖아.
자기가 먼저 내 고기를 뺏어놓고는!
용서는 무슨 용서!

이에 반해 시민법은 국가의 성립 이후에

국가가 말이나 글 혹은 다른 충분한 의지의 표시로

옳고 그른 것, 즉 규칙에 위배되는 것과 위배되지 않는 것을 구분하여 모든 백성에게 명령하는 규칙이야.

시민법은 통치자가 백성의 안전을 위해 사용할 수 있는 최선의 수단이야.

법은 사람들의 평화와 안전을 위해 만들어진 것이므로
제가 수입한 그건 마약이 아니고 '고통 억제제' 라니까요. 수입 금지 물품 리스트에 없잖아요?

국가의 법이 허술하거나
흐음~ 마약인 것 같은데 리스트에 이름이 없네….
아~ 참 억울하네 그려.

제대로 실행되지 않으면
할 수 없지. 그냥 나가도 좋다.
히히히! 신종 마약이니 리스트에 없지.

국가의 기강이 해이해지고 사회는 혼란스러워질 거야.
너 때문에 우리 아들이 저렇게 됐어!
내가 무슨 잘못을 했다고?

체계 있는 법이 사회 곳곳에서

확실히 실행될 때에
윙~
윙~
이런!

사회는 질서가 잡히고 백성들에게
안전이 보장될 거야.
으엉~ 숨을 곳이 없어.

시민법에 대한 나의 생각은 다음과 같지!

첫째, 모든 국가에서 법을 만드는
사람은 오직 통치자뿐이야.
쓱쓱
법

그리고 오직 국가만이 법에 대한
복종을 명령할 수 있어.
국가의 명령이다. 법을 어겼으니 끌고 가 법정에 서서 법의 심판을 받아라.

마찬가지로 통치자 외에는 만들어진
법을 폐기할 수 없어.
지익
법
이 나라는 멸망했으니, 이 나라와의 관계에 대한 법도 더 이상 지킬 필요가 없지!

둘째, 통치자는 시민법에 복종하지
않아도 돼.
백성들은 모두 시민법에 복종해야 한다고?

헉! 저건 금서인데?
군주 정치의 허와 실

법을 만들거나 폐기할 수 있는 능력이
있는 사람은
저것 봐요! 분명히 국왕이 금서로 지정된 책을 읽고 있잖아요!
척

그가 원할 때는 법에 대한
복종으로부터 자신을 자유롭게
할 수 있어.
저 책을 금서로 지정한 사람이 누구겠나.
예?

셋째, 오랜 시간의 관습이 아니라
어허~ 이 동네에선 내가 이미 저기서 비단 가게를 하고 있다고! 딴 데 가서 해!

침묵으로 나타난 통치자의 의지가 법의 권위를 만들게 되는 거야.
그런 법이 어딨소!
원래 다 그런 거야!
앗! 왕이 보고 계셨네?

때로는 침묵이 동의의 표시이기 때문에
멈칫

통치자가 침묵하는 동안 법이 유효하게 되는 거야.
봤지? 왕께서 아무 말씀 안 하셨으니 내게 잘못이 없다는 얘기야!
휙

하긴 잘못됐다고 생각하셨으면 무슨 말씀이 있으셨겠지.
옮겨야지.

그러므로 만약 통치자가 이전에 만들어진 법의 권리에 대해

문제를 제기할 때
한 구역 안에 한 가지 물건을 취급하는 상점은 한 개만 있어야 하겠느냐?

그 문제는 법률가에 의해 공평하게 판단되어야 해.
일찍부터 상인들 사이에 그리 하기로 정해졌다 들었습니다.

법률가들은 관습이 아니라
허나, 한 지역에 상점이 하나인 약점을 이용하여 많은 상인들이 폭리를 취하고 있습니다.
양질의 물건은 찾아보기 힘들다 들었습니다.

합리적인 것만을 법으로 간주해야 하고
상점들 간에 경쟁이 있어야 백성들은 싸고 질 좋은 물건을 구입할 수 있습니다.

잘못된 관습은 철폐시켜야 해.
좋소. 앞으로는 한 구역에 같은 물품을 취급하는 한 개 이상의 상점이 가능한 것으로 합시다.

하하하

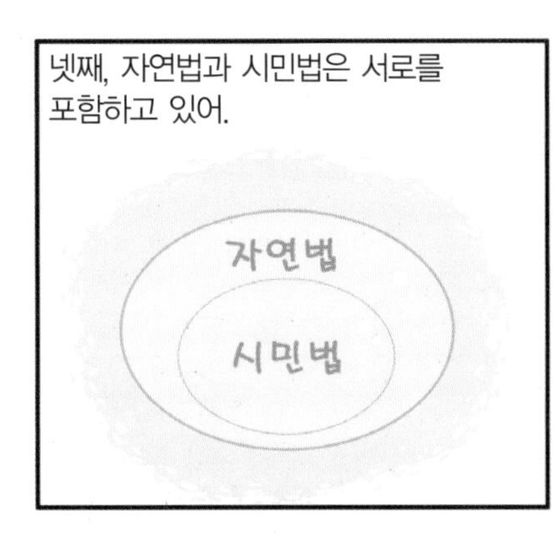
넷째, 자연법과 시민법은 서로를
포함하고 있어.
자연법
시민법

자연법은 사람들을 평화로
이끄는 속성이 있어.
그리고 국가가 세워질 때 비로소 자연법은 실정법이 되는 거야.

사람들로 하여금 자연법에 복종하게
하는 것은 통치 권력인 거야.
벌벌

다섯째로 국가의 통치자가 법으로
백성들을 다스린다면
우리 인도는 언제 영국 식민지에서 벗어날 수 있을까.

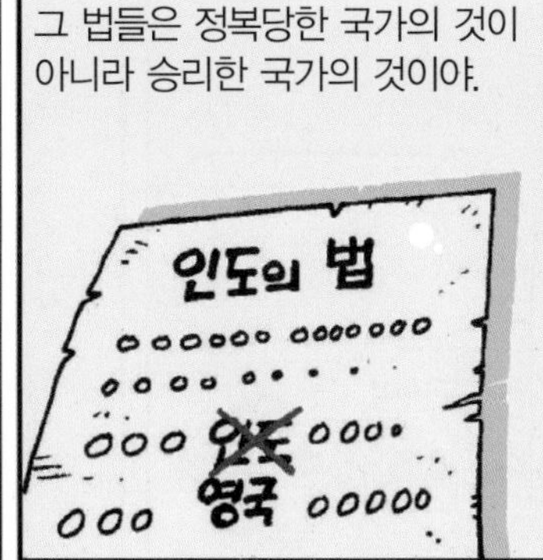
그 법들은 정복당한 국가의 것이
아니라 승리한 국가의 것이야.
인도의 법
인도
영국

왜냐하면 법의 권위는 처음 법이
만들어질 때의 권위가 아니라
지금 계속되는 권위에 있기
때문이야.
펄럭

여섯째, 의회가 법의 유일한
통제자라는 것은 의회가 통치 권력을
소유하고

자신의 재량에 의해서 개최되고
해산될 때만
국왕께서 의회의 해산을 명하셨습니다!

사실이 되는 거야.
우리에겐 법에 대한 통제권이 없구나.

일곱째, 법에서 모순이 일어날 수는
없으며
국가는 하나의 인격으로 대표되기 때문이지.

법은 문자가 아니라 법률 제정자의 의도에
일치하는 것이야.
실수로 왕궁쪽으로 화살이 날아 간 건데 그게 반란이라고 법전에 써 있지는 않잖아요.
법전에 뭐라 써 있든 어떤 경우라도 반란의 기미가 보이는 자는 용서하지 않는 것이 법을 만든 내 의도이다!
목을 베라!

여덟째, 법은 명령이고,
고로 내게 복종하기로 한 나의 백성들은 내가 명한 것은 반드시 하고, 금한 것은 절대로 하면 안 되느니라.

그것은 소리나 문서로 명령하는 사람의
아, 아, 마이크 테스트.
이번에 국왕께서 제정하신 법을 알립니다.

명백한 의지를 나타내야 하는 거야.
이 법은 내일 낮 12시부터 시행됩니다. 위법시 가택이 압수됩니다. 오바!

국가의 법은 그것을 이해하는 수단을 가진 사람들에게만 법이 돼.
새로 제정된 법이라지요?
이제 왕가 사람들의 이름을 함부로 부르면 불법이래요.

그래서 자신의 잘못이 아닌 사고로 실명한 사람이
비틀
툭툭

법이 선포된 것을 알지 못해서
스윽

그 법을 지키지 않았다면
그… 알렉스이던가? 왕의 셋째 아들 말이오. 그 사람이 이번에 말을 타다…
헉! 왕가 사람의 이름을!

그 사람은 용서를 받게 돼.
그에게 법은 법이 아닌 거야.
방을 못 읽었으니 할 수 없지. 앞으로는 입에 담지 말게.
예.

법은 공표되어야 할 뿐만 아니라
KING

그것이 통치자의 의지라는 것에 대한
옥새를 대령하라!
예~

명백한 표시가 있어야 해.

왜냐하면 사악한 개인이
호오~ 저것 봐라?

자신들의 야심을 안전하게 추구하기 위해
요거 하나면 사람들이 말을 아주 잘 듣는구먼.

통치자의 권위에 대항하여
프랑스에서 들여오는 옷들 때문에 내가 하는 양장점이 문을 닫을 지경이란 말이지.

그들이 좋아하는 법을 공표할 가능성이 있기 때문이야.
걸레 같은 옷이라도 '메이드 인 프랑스' 면 귀부인들이 껌뻑 죽는다니까, 쳇!
착

추가시민법
프랑스에서의 의류 수입을 금한다!

그러므로 법은 충분한 권위를 표시하여
여기, 도장이 좀 달라!
엇! 이거 뭔가 이상해!

공표되어야만 하는 거야.
어떤 녀석이 사기를 쳤구먼!
윽!

입법자는 모든 국민에게 알려져 있어야 해.

그는 만인의 동의에 의해 인정되었으므로 만인에게 알려져 있어야 하는 거야.

법이 충분히 공표되었다 하더라도
남의 것에 손대지 않는다!
이것 봐! 내 말이 맞지!

법을 강제력이 있게 만드는 데에는 한 가지 더 필요한 것이 있어.
재판관님! 제 말 좀 들어보세요!

권위 있는 법의 해석이 법의 본질인 것이야.
저놈이 멋대로 내 집 마당에 들어와 제 부모가 예전에 심어놨던 과일나무 한 그루를 뽑아가려 했습니다.

그러므로 모든 법의 해석은 통치자의
권위에 달려 있고
그 나무는 소인이 태어났을 때 그 기념으로 부모님이 식수하신 내 나무요. 그걸 알면서도 열매에 눈이 어두워 삼키려 했으니 저놈이 도둑이오.

법의 해석자는 통치자가 임명한 사람만이
될 수 있는 거야.
허가 없이 남의 땅에 들어가는 것은 불법이다.
땅을 양도했을 때 땅 위의 나무도 마땅히 양도된 것. 네게는 권한이 없다.
시민법

그렇지 않으면 재판관의 기술에
의해 법이
부모가 자식에게 준 것이 자식의 것임은 당연한 거지!
그걸 알면서도 열매를 탐내다니!

통치자의 뜻과 반대되는 의미가
될 수도 있는 거야.
나무를 내놓으시지.
열매를 탐한 건 저 녀석인데….

훌륭한 재판관이 되려면 자연법을
바르게 이해해야 하고
자연법

불필요한 부에 집착하지 않으며
저… 작은 성의입니다. 제 사정 좀 봐주십시오.
$

판결을 할 때에는 공포와 분노,
무… 무죄!

증오나 애정, 연민의 정을
무죄!
무죄!
흑 흑

스스로 포기해야 해.
네가 얼마나 슬펐는지 따위가 아니라, 정확한 사건의 전개만을 말하라.
쳇!

또한 사람들의 의견을 들을 때에는 인내심과 주의력이
필요하지.
떠벌떠벌~ 그래서 제가 뭔가 기분이 이상해서 그 사람 뒤를 쫓아가서요~ 떠벌떠벌~
잠깐! 네가 사거리에서 그자를 본 것이 몇 시 정도였느냐?
Z Z Z
Z Z Z

범죄란 법이 금지하고 있는 것을 하거나
타앗

또는 법이 명령한 것을 하지 않는 일이야.
내일 낮 12시까지 소집하시오.
내일 바쁜데요?

사람들은 헛된 자만심이나
흐음~ 감히 나에게 대항하려 들어?

증오, 탐욕, 야심 등의 정념들 때문에
부글 부글
호호
찌릿
내가 쓴 글을 보고 비웃다니.
형을 죽이면 내가 재산을 모두 받겠지?
고 놈만 없애면 내 아들이 1등인데.

범죄를 저지르지.
꺄악!

성급하고
두리번대는 모습이… 틀림없이 적에게 물자를 대주고 있다!

잘못된 추론으로
마누라가 고양이라면 질색이니 집에서 먼 헛간에서 몰래 키울 수밖에!
야옹
야옹
야옹
냥
아이구, 이쁜 것들!

범죄를 저지를 수도 있고
죽어라! 이 반역자!
컥!

법, 통치자, 형벌에 대한 무지 때문에도
티타늄으로 만들어진 쌍절곤 사가세요!
휘릭
가볍고, 절대 찌그러지지 않는 쌍절곤!

법을 위반하는 경향이 있지.
무기류는 시장에서 판매할 수 없는 것 모르나!
??

모든 범죄가 같은 적용을 받는 것은 아니야.

미친 사람과
내 안에 치타의 혼이 들어 있다! 나는 바람처럼 빠르다!
우가우가! 우가우가!
쌔애~
우가우가!
우가우가!

어린이는 법을 어겨도 면죄를 받아.
사탕이 먹고 시퍼쩌요.

적군에 포로로 잡힌 사람도 법의 의무로부터 면제를 받지.
P.O.W
P.O.W

생명을 위협당하여서 한
저걸 빼내오지 못하면 네 목숨은 없다.

범죄 행위도 면제받을 수 있어.

범죄의 무겁고 가벼운 정도를 측정하는 기준은 여러 가지가 있어.
重
輕

우선 원인의 악의성이야. 실수로 해를 끼친 것과
어머나!

나쁜 마음을 먹고 해를 끼친 것은 달라.
저기 오는군!

행위 결과의 해로운 정도,
딱총에 맞았어.

폭탄을 터뜨리다니….

시간과 장소에 따라서도 경중을 나눠.
평화의 시기와
빠
깜짝이야! 저 녀석 한가하니까 별짓을 다 하네.
앙

전쟁의 시기에 저지르는 범죄는 같은 것이라고 해도 후자가 더 무거운 범죄가 되지.
빠
으아아~ 드디어 적이 발포했다!
도망쳐라!
앙
크크…
다다…

돌발적인 범죄보다는
쳇, 제 앞가림도 못 하는 주제에 왜 남한테 이래라 저래라야.
너 지금 뭐라고 그랬어!
탓

사전에 계획된 범죄가 더 무거워.
예상대로 논 쪽으로 이동하고 있다. 아무도 안 보는 데서 처리해라.
알았다, 오바!

다른 사람들과의 공모 관계가 있으면 더 무거운 범죄야.
새벽 3시에 문을 열어놔 다오.

권력이나 돈, 어떤 조직의 힘을 빌려
금액에 상관없이 힘이 센 용병들을 고용하라.

집행하는 사람들에게 대항하는 범죄는 중죄가 돼.
전의 판결에 불만이 좀 있소.

재산의 상실보다는 신체적인 상해가,
퍽
퍽
퍽

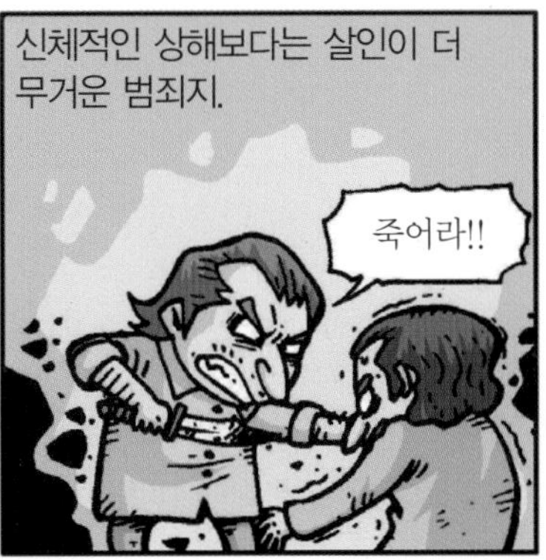
신체적인 상해보다는 살인이 더 무거운 범죄지.
죽어라!!

범죄를 저지른 사람은 처벌을 받아.

처벌은 사람들로 하여금 법에 잘 복종하게 할 목적으로
너는 중죄를 저질렀으므로 남은 평생 국경 북쪽 지대 성벽을 쌓는 공사 현장에서 일해야 한다!
흑.

공적인 권위가 법을 위반한 사람에게 부여하는 해로움이야.
들었어요? 그 추운 공사장에 끌려갔대요.
법을 안 지키면 큰일 나겠어요.
덜덜

처벌에는 신체적인 처벌,
아악!
퍽!

금전적인 처벌,
가택과 모든 재산이 압류되었소.
아니, 어디서 살라고!

공개적인 모욕,
저런 나쁜 사람 같으니…
거짓 정보를 퍼뜨려 나라를 혼란케 한 죄

추방 등이 있어.
안녕~ 내 고향이여.
덜컹

피고인의 보호를 위해 범죄자를 감금시키기도 하지.

해로움이긴 하지만 처벌이라고 할 수 없는 것들도 있어.

개인들 간의 사적인 보복,
내 아버지의 원수! 정의의 칼을 받아라!
으윽

통치자로부터 권력을 부여받지 못한
이놈에게 곤장 10대를 때려라!
누, 누구신데요?
재판관 맞아요?

재판관에게 입는 해로움,
어허! 왕이 직위만 안 내렸다 뿐이지, 내가 동네에서 '솔로몬' 이라 불리는 사람이야!

또는 공적인 권위에 입은 해로움이라 해도
뭐? 힘 없는 노인을 때려? 이 나쁜 놈이!
이놈을 당장 가두어라!

선행하는 유죄 판결이 없으면
처벌이 아니야.
내 얘기는 들어
보지도 않고….
훌쩍

범죄자가 받는 처벌은
네가 무고한 사람을
때려서 전치 4주의
상해를 입혔으니….
좋소, 나도
그만큼 때리라
하시오.

범죄로부터 얻을 수 있는 이익보다
더 많아야 해.
네 놈의 손목을
자른다.
헉!

사람들이 법을 어기고 얻는 이익이
처벌보다 더 크다면
훔친 물건의 30%를
벌금으로 내거라.
엥?!

누구도 법에 복종하려 하지 않을
것이기 때문이야.
휙
법을 어길수록
돈을 많이 버네.

금지하는 법이 있기 전에 저지른
행위에는 처벌을 할 수 없어.
이 사람이 10년 전에
'민주주의'에 관한
연설을 했어요!
10년 전?

법이 존재하기 전에 법의 위반이 있을 수
없기 때문이야.
그때는 연설을 금지하는
법이 생기기 전이었으므로
이제와 처벌할 수 없다.
허
휴~

어떤 행위들에는 자연스럽게 나쁜 결과가 수반되는데
이는 신의 처벌일 수는 있지만 사람의 처벌은 아니지.
콰광
으아악!

보상은 급료나 임금 같은 계약에
의한 보상과
이번 한 달 동안
수고했소.
짤랑

주는 사람의 은혜로부터 나오는
혜택인 선물이 있어.
네가 적군과 내통하는 자에
관한 정보를 주어, 전쟁에
승리할 수 있었으므로
이것을 하사한다.

보상도 처벌과 마찬가지로
사람들을 법에 복종시키는 것을
더 쉽게 만들어.
우와~
좋겠다!
나도
받고 싶다.
덜컹

국가를 약하게 하거나
해체시키는 것에
대하여
!!

리바이어던은 지상에서 가장 힘이 세고
쏴 베에엑

두려울 것 없던 모든 교만한 자의 왕이긴 했지만
화르르
오오~!

피조물인 이상 죽을 수밖에 없어.
콜록
콜록
피식!

인간 역시 죽을 수밖에 없는 불완전한 존재야.
불로초를 구해와라!
예~
그런 게 어디 있어.

그런 인간이 만든 것이 영원불멸할 수 없으니, 국가의 설립 역시 불완전해.
보라, 중국 최초로 통일된 나의 강력하고 영원한 제국을!

그래서 국가나 통치자 역시 소멸할 수밖에 없어.
와르르르
진

국가는 외부의 폭력이나
와아
외, 외적이 침입한다!

내부의 혼란에 의해 해체되는데
미, 믿었던 네 놈이 나를….

사람들이 자신들의 이성을 사용한다면
왕을 암살해 주시오.
국가를 잃으면 어떤 결과가 올 것인가….

적어도 그들의 국가는 내부의 문제들에 의해 멸망하지는 않을 거야.
네 놈이 반란을 계획했다고?

이번엔 무엇이 국가를 약하게 만드는 것인지 알아보자.

첫째, 통치자가 종종 국가의 평화와 방어에 필수적으로 요구되는 권력보다 작은 권력에 만족한다는 거야.
이제 됐어. 충분해, 충분해.
권력
권력
권

공공의 안전을 위해 권력의 행사가 요구될 때에도
적들과 내통하다가 걸린 놈입니다. 목을 베어야 합니다.

그것 때문에 다수의 사람들이 반란을 일으킬 것을
흐음, 백성들이 신망 높다고 존경하던 사람 아닌가.
이자를 죽이면 사람들이 들고 일어날 텐데….

두려워 한다는 거야.
뭐, 죽일 것까지는 없고 주의시켜서 돌려보내라.
예?

둘째로 국가의 병은 선동적인 가르침의 독소로부터 생겨. 모든 개인이 선과 악의 판단자라는 것은 잘못된 가르침이야.
당신은 왜 악한 것을 그냥 보고만 있습니까?
무엇이 두렵습니까?
폭군입니까?
버럭

이것은 시민법이 없는 자연 상태에서나 사실이지.
내 말이 맞아!
내가 옳다니까!

그렇지 않은 경우 선악 행위의 척도는 시민법이고
법이 명한 것이 선이요,
법이 금한 것이 악이다!

판단자는 항상 국가의 대표자인 입법자야.
국가를 모독하는 연설을 한 이놈의 목을 쳐라!
예!

이런 거짓 가르침 때문에 사람들은
이게… 옳은 거야?
아닌 것 같지?

국가의 명령에 이의를 제기하고 반박하고
목숨까지 빼앗을 필요는 없었잖아.
국가에 불만이 좀 있으면 안 되나?

사적인 판단에 따라 결국 복종하지 않게 되지.
조용히 따라오게. 우리 집 지하실에서 연설이 있어.
왕은 우리가 똑똑해지는 게 싫은 거야.

이것이 국가를 약화시켜.
왜 이 나라에는 자유가 없을까요? 우리는 노예가 아니라 백성입니다.

셋째, 사람은 양심에 따라야 한다는 가르침도 시민 사회에 반하는 거야.
사기를 쳐서 남의 돈을 들고 튀었으니 손목을 잘라야 하는데….
재판관님… 제 딸이 끔찍한 병에 걸려 손과 발이 문드러지고 있습니다. 그러나 병원비가 없어 어찌할 도리가 없었습니다.

그것 역시 자신이 선과 악의 판단자라는 생각에 의존하고 있지.
손목이 잘리면 어린 딸아이를 돌볼 수가 없고… 그 돈은 갚으려고 했었습니다. 흑흑….
손과 발이 문드러져?

사실 양심이란 사적인 의견일 뿐이고
딸이 죽어가는데 별 수 있었겠나!
이 사람 손목을 자르자니 내 양심이 허락치 않는구나!

사람마다 생각하는 바가 다르기 때문에 그 다양성으로
좋다. 손목은 안 자를 테니 돈은 나중에 갚거라.
뭐요? 절박하기만 하면 사기를 쳐도 된다는 거요?

국가는 혼란스럽게 될 거야.
이 사람들이!
법 앞에 모두 공평한 것 아니오!
내 돈 내놔라!

법은 공적인 양심으로, 사람들은 그것을 이미 따르기로 약속을 한 거야.

홉스는 이런 견해들이 대부분 무지한 성직자들의 혀 끝이나

펜에서 나온다고 했어.
그는 거기에서 신은 보지 못하고 악을 보았으니 마땅히 내치었다.
비로소 마음에 평화가 오자 주님께 감사기도를 드렸다.

넷째, 통치자도 시민법을 따라야 한다는 것도 국가의 본성에 반하는 가르침이야.
어허! 그 울타리를 넘어가면 안 됩니다!

통치자는 시민법에 종속되지 않아.
울타리를 모두 뽑아버려라!
예!

그는 법을 제정하고, 폐기할 수 있는 사람이야.
자, 내가 뭘 넘었다구?
아, 아닙니다.

다섯째, 모든 개인은 자신의 물건에 대해
내 밭에서 수확한 이 감자! 당근!
오, 정말 먹음직스러워.
덜컹

통치자의 권리를 배제하는
여기서 식량을 구하다니!
감자를 병사들에게 먹이고 당근을 말에게 먹여야겠다.

절대적 권리를 가지고 있다는 생각도 국가를 와해시켜.
그게 무슨 소리요?
이건 내 감자며 내 당근이오! 손도 대지 마시오!

만약 절대적 권리를 주장하게 되면
헉! 이틀을 굶었는데!
다다
튀어!

사람들은 외국의 적이나 다른 사람들의 상해로부터
적군의 기습입니다!
싸우긴커녕 도망칠 기운도 없습니다.

재산을 보호받을 수 없게 되지.
혹
그냥 감자 줄 걸….

여섯째, 통치권이 나누어질 수 있다는 가르침도 국가를 해체시켜.
통
치
권

홉스는 나누어진 권력은 서로를 파괴시킨다고 했어.
우리 힘이 제일 세야 해!
우리가 우위지!
와
와 와
와

일곱째, 군주에 대한 반역이 자주 일어나는 이유는 고대 그리스 로마의 고전을 읽는 데 있다는 거야.
꽃 피는 민주주의
아테네와 스파르타
무너지는 절대권력

그리스와 로마의 저술가들은 군주를 살해하기 전에

군주를 폭군이라고 규정하고
우하하하!

군주를 살해하는 것을 합법적이라고 규정했어.
푹
와아

여덟째, 시민적 권위와 영적인 권위를 구별하여 두 개의 왕국을 말하는 것이야.

이런 경우 백성들은 두 주인을 섬겨야 해.

그런데 이것은 불가능하지. 이 두 세력이 대립될 때
나를 따르라.
나를 따르라.
두리번
두리번

국가는 시민 전쟁이라는 위험에 빠져 해체될 수밖에 없는 거야.

아홉째, 돈을 거둬들이는 어려움이 국가를 어렵게 해.
전쟁 비용을 위한 세금을 걷고 있습니다.

이 어려움은 백성들이 자신의 땅이나 물품에 대한 소유권을
아유~ 정말 돈이 하나도 없어요! 무슨 세금을 시도 때도 없이 걷는담.

국가로부터도 주장하기 때문이지.
내가 힘들게 번 돈을 무엇 하러 남한테 준담?

이는 특히 전쟁시에
지난 수해로 갑옷이 모두 낡아 교체해야 하는데 세금이 안 걷히니 어찌한담.

국가에 필수적인 것이야.
갑옷이 녹슬어 화살을 막을 수가 없구나….

열째, 너무 많은 국가의 재산이

한 사람이나 몇몇 사람에게 독점되어서도 안 돼.

열한 번째로, 유력한 백성의 인기도
저희 집에도 들러 좋은 말씀 들려주십시오!
제 손 좀 잡아주세요!

그 사람의 충성에 주의하지 않는다면 위험할 수 있어.
딴 마음 먹으면 안 되는데….

그런 사람들은 주변 사람들의 아첨이나
대단한 판단력 이세요. 좀 더 높은 직위에 계셔야 하는 분인데….
그러게 말예요. 아까운 분이에요.

평판에 의해 법에 대한 복종에서 이탈하게 되지.
선생님 같은 분이 왕이 되시면 세상이 얼마나 좋아질까요?

마지막으로 전쟁에서 적들이 최후의 승리를 얻어 더 이상 자기 백성들을 보호할 수 없을 때
와
와아
와
성벽이 무너졌다!
왕을 잡아 죽이고 그 일가를 잡아들이자!

국가는 소멸하게 되지.
퍽
으윽!

통치권이 소멸되면, 백성들은 더 이상 국가의 통치를 받지 않게 되는 거야.
어느 나라에서 온 사람들이냐!
히익! 아, 아무 나라도 아닌데요.
척

따라서 보호를 원하는 사람들은
끄응
다시 보호받을 곳이 필요해.

어디서든 보호를 찾을 수 있게 되지.
저희를 거두어 주십시오.
적장

홉스가 구체적으로 지적한 국가를 붕괴시키고
우르르

반란을 부추기는 사람들은 성직자들과 지식인들이 대부분이야.
후후

인류의 평화를 막는 수많은 교설들이 허술하고 잘못된 원리에 기초하고 있으면서도
이런 것들을 대체 왜 굳게 믿는 거야?
어린아이라도 척 보면 뭔가 이상한 걸 눈치챌 원리인데 말이야.

사람들 사이에 그렇게나 깊이 뿌리를 내린 것이
뭐… 별로 생각해 본 적 없는데.
대체 왜요?

바로 그런 사람들 때문이라는 거야.
그야 지난 주에 교회 예배 시간에 들은 얘기니까요. 의심할 이유가 없지요.
으흐!

교회가 사회 전반에 걸쳐 강한 영향력을 갖던 시기에 종교 전쟁과 시민 전쟁을 경험하면서
챙
챙

홉스는 시민사회에 보다 잘 복종하게 만들어야 할 교회가
흔들

오히려 분열을 만들고 국가를
위태롭게 한다고 생각했던 거야.
툭
와르르

또한 잘못된 학설을 퍼뜨리는
지식인들과
초자연적인 어떤
영감으로부터 시작되는
신성함은….

국민들을 선동하는 정치가들도
새 술은 새 부대에
담아야 하는 법!
지금이야말로 변화가
필요한 때입니다!

사람들을 속이며 결국 국가를
무너뜨린다는 거야.
와
와아

혼자 있을 땐 똑똑하던 사람들도
진짜 그렇다고
하더라구.
그걸 어디서
들었는데? 신빙성
있는 얘기야?
요즘은 인터넷 뉴스
기사들도 못 믿어.

군중이 되면 어리석어지기 일쑤야.
생존권을 보장하라!
와아!
데모 몇 번 하면
월급 인상된대!
그래?

으이구~
우중들!
어리석은 군중을
'우중' 이라고 해.

홉스는 이런 말로 정곡을 찌르고 있지.
다수를 속이는 일이 그들 가운데
한 사람을 속이는 일보다 더 쉽다.
뜨끔

이번에는 홉스 아저씨의 '그리스도 왕국'
이야기 속으로~ 고고! 고고!
대앵~
대앵~

제5장 홉스는 종교를 어떻게 생각했을까?

그리스도 왕국에
대하여

우리는 왜 하느님의 법을
이해해야 할까?
성서 연구에
정말
열심이시네.
성서

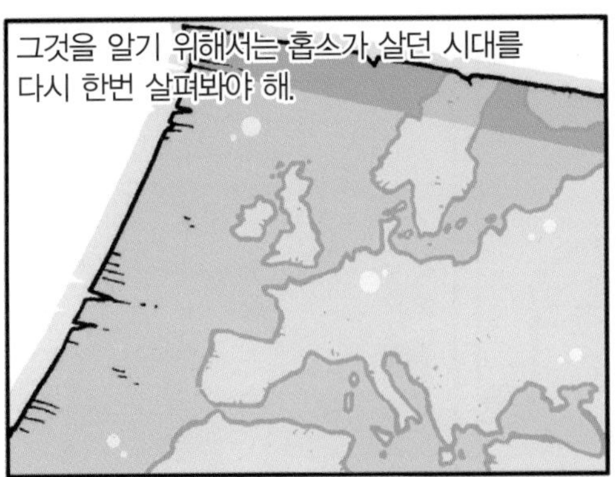
그것을 알기 위해서는 홉스가 살던 시대를
다시 한번 살펴봐야 해.

당시에는 신앙의 차이 때문에 사람들이
내전을 일으키기도 하고
교황의 권위에 맞서는
신교도들을 잡아 죽여라!
종교의
자유를 달라!
아악

다른 나라와 전쟁을 하기도
하던 시대였어.
까악
까악

그리고 교회는

단순히 개인이 예배를 드리는
장소가 아니라

실질적으로 막강한 정치 권력을
행사하고 있던
우리 왕을 그 나라의
여왕과 결혼시키면
국가 내에서 가톨릭의
힘이 더 확고해지네.

정치 집단이었어.
크크크

그리고 교회가 주장하던 것은
하느님 왕국의 통치였지.
하느님의
시대가 왔노라!

사람들이 혼란스러워 했던 것은 물론이지.
누구 권력이 더 센 거야?

결국 우리는 국가의 생성과 목적, 시민법, 통치자의 권리뿐만 아니라
법

하느님의 법에 관한 지식이 있어야

시민적 의무에 대한 완전한 지식을 가질 수 있는 거야.

하느님의 법이 무엇인지 알지 못하는 사람은
여기, 살인자를 데리고 왔습니다.

그가 시민적 권력에 의해
네 놈이 재물에 눈이 어두워 나이 들고 약한 이들을 죽인 놈이 맞느냐!
쳇.

어떤 명령을 받을 때
이놈을 단두대에 매달아라!

과도한 시민적 복종으로
내가 사람을 이렇게 죽여도 될까?
하느님이 아닌 왕한테 이렇게 복종하는 것은 잘못된 것 아닐까?

하느님의 권위를 침해하는 것이 아닐까 공포를 느껴서
이러다 벌 받는 것 아닐까?
에라, 모르겠다.
투둑

국가의 명령을 위반하게 되거든.
저 뒷길로 도망치게.
크크큭.

이런 것을 피하고 국가에 복종하기 위해서는 하느님의 법이 무엇인지를 아는 것이 필요해.

하느님은 일반 은총과 특별 은총으로
세상을 다스리고 계셔.
일반 은총
특별 은총

해와 달이 낮과 밤을 비추고
달빛이 참 밝아요.

계절의 변화에 따라
봄이면 씨앗 뿌려~ 여름이면 꽃이 피네~
끙차

사람들이 농사를 지으면서 살아가잖아.
이런 자연적인 방법이 일반 은총이야.
올해도 뜨거운 태양과 적당한 비로, 풍년이로구나.
가을이면 풍년 되어~ 겨울이면 행복하네~

특별 은총은 예언자들을 통하여

하느님이 직접 말씀하시는 특별한
방법이야.
너는 돌아가 백성들에게 일러라. 내가 일어나 바빌론을 치리라.

특별 은총을 받는 왕국은 예언적
왕국이라 하는데
하느님께서 말씀하신다.
내가 일어나 바빌론을 치리라.

이것은 하느님이 유대 인들을 그의
백성으로 택하여

신성한 예언자들을 통해 하사한 실정법에 의해
유대 인들을 통치하는 왕국이야.
이는 하느님의 말씀이오. 너희는 안식일을 거룩히 지켜라. 너희는 이웃에 대하여 거짓 증언하지 말아라. 너희는….
법

홉스가 《리바이어던》에서 말하는
그리스도 왕국은 일반 은총을 받는
자연적 왕국이야.
홉스 아저씨도 나도 유대 인이 아니지요.

자연적 왕국은 올바른 이성의
나도 배가 고프기는 하지만 뺏으면 안 되겠지.

자연적 명령에 의해서
내가 빵을 먹을 때 저 사람이 뺏어 먹는 것을 내가 원치 않듯이 말이야.

하느님의 섭리를 인정하는 다수의 인간들을 다스리시는 왕국이야.
오늘 제게 일용할 양식을 주셔서 감사합니다.

하느님은 자연 왕국에서 자신의 백성들을 말씀으로 통치하시는데
네 마음과 목숨과 뜻을 다해 너의 하느님을 사랑하고 네 이웃을 네 몸과 같이 사랑하라.
하느님의 말씀입니다.

말씀에 복종하는 자에게는 보상을 약속하고
당연히 도와야지요.

복종하지 않는 자들은 징벌로 위협하셔.
이럴 수가… 욕심에 눈이 멀어 죄 없는 사람을 죽였으니 분명히 벌을 받을 거야.

그러므로 무생물이나 비이성적인 창조물들은 하느님 왕국의 백성이 될 수 없어.
BEAR

이들은 하느님의 계율을 전혀 이해하지 못하기 때문이야.
?

하느님이 인간의 모든 행동을 돌보시는 것을 믿지 않고
아이스크림을 사오면 풀어주지.

따라서 신의 위협에 대해 공포를 갖지 않는 사람들도
너 이러다 벌 받아!
에이, 그런 게 어디 있어!

하느님 왕국의 백성이 될 수 없어.
천국
쾅

하느님이 인간을 통치하고
하느님의 계율을 돌에 새기자.
콩콩

그의 법을 어기는 사람들에게
이것을 어긴 자는 벌을 받으리다.

벌을 주는 통치권은
계율을 어기고 도둑질을 한 이자에게 돌을 던져라.
와
와

하느님이 인간을 창조하셨기 때문이 아니라 그의 저항할 수 없는 전지전능한 힘으로부터 나오는 거야.

아저씨는 힘을 어지간히 좋아해요.
하하
인간은 힘이 센 것만을 경배하는 법이지.

미래에 대해 알고 싶어 하는 열망은
이웃 나라가 침범해 올까?

인간으로 하여금 사물의 원인을 탐구하도록 만들어.
작년 이맘때도 이웃 나라가 침범해 왔지.
보릿고개 때문이야.
우리나라는 토지가 비옥해서 그나마 수확을 할 수 있었지.

그런 지식은 인간에게
올해도 이웃 나라에 흉년이 들었다는 얘길 들었지.

현재의 상태를 자기에게 가장 편리하게끔
그러니까 틀림없이 올해도 이웃 나라가 침범해올 거야.

처리하게 만들기 때문이야.
무장을 하고 식량을 숨겨놓는 것이 좋겠어.

이렇게 원인에 대해 알고 싶은 호기심은
앗! 당근이 모조리 뽑혀 있네.

사람으로 하여금 결과에 대한 고찰로부터 그 원인으로,
토끼가 늘어났기 때문이야.
토끼가 늘어난 건 토끼를 잡아먹는 여우들이 사라졌기 때문이고.

그리고 다시 그 원인의 원인을 탐색하도록 만들었어.
그리고 여우들이 사라진 것은 귀부인들의 목도리를 위해 여우 사냥이 유행해서야.

이 과정은 결국 그 이전의 원인이 없는
귀부인들이 여우 목도리를 하는 건 추운 겨울에 목을 따뜻하게 만들기 때문이지.

즉 영원한 원인이 되는 어떤 원인이 존재한다는 생각이 들게 만들지.
그리고 추운 겨울이 온 건… 추운 겨울이 온 건….

이것을 인간이 '신'이라고 부르게 된 거야.
척
신이 계절을 창조하셨기 때문이야.

어떤 장님이
툭툭

사람들이 불에 대해 이야기하는 것을 듣고
불이 정말 따뜻하구먼.
꺼지지 않게 조심하게.

그가 느끼는 열의 원인이 존재한다는 것을 쉽게 확신할 수는 있지만
이 따뜻함이 불이란 것에서 나오는 거구나.

그것이 어떤 것인지는 상상할 수 없고

그것을 보는 사람과 같은 관념을 마음속에 가질 수도 없어.
불이야!
불이야!
불? 아~ 이것이 아까 나를 따뜻하게 했던 불이라는 거구나.
활활

인간은 세상에서 볼 수 있는 사물과
가을이 되어 낙엽이 떨어지는구나.

그것들의 감탄할 만한 질서를 보고서
낙엽이 땅에 떨어지면 썩어서 비료가 되고, 그것을 양분 삼아 봄이 되면 나무는 다시 싹을 틔우고,

싹에서는 꽃이 피고, 꽃은 열매를 만들고, 가을이 되면 또 잎이 떨어지겠지.

그것들의 원인이 존재할 것이라고 상상하는 것뿐이야.
신은 참으로 오묘하게 세상을 만드셨도다!
역시 가을은 사색의 계절이군.
후후

그러나 마음속에 하느님에 대한 영상이나 관념을 갖지는 못하지.
음음, 그분은 도포자락을 늘어뜨리고 여유로운 성격에~
불이 삐죽삐죽하고 빨리 퍼진다 했으니 털이 솟아 있고, 다리가 길쭉함에 틀림없어!
둘이 똑같아요. 똑같아!

하느님의 왕국을 이해하기 위해서는 하느님이 어떤 분인지 이해하는 것이 필요하겠지?

홉스는 하느님은 존재의 특성을 가진다고 했어.
나는 모든 것을 물체라고 보는 유물론자이지.

존재하지 않는 것을 경배할 의지를 가진 사람은 아무도 없기 때문이야.

세계가 하느님이라고 말하는 것은 하느님을 대수롭지 않게 여긴 것이야.
이 세계가 하느님이다!
??

아니에요. 하느님은 세계를 만드신 분이므로 세계 위에 계신 분이죠.

세계를 영원한 것이라 말하는 것도 하느님의 존재를 부인하는 거야.
영원하다는 것은 아무런 원인을 갖고 있지 않다는 얘기잖아요. 하느님이 세계의 원인이라니까요.
제법인걸?

하느님이 인간들을 돌보지 않는다고 생각하는 것도
툭
아야!

하느님을 경배하지 않는 것이 돼.
쳇, 하느님은 나한테 관심이 없어.
그러니 내가 하느님을 사랑하거나 두려워할 이유가 없지.

으아악! 잘못했어요!
쿠광

하느님은 무한하기 때문에 하느님에게 형상을 부여할 수도 없어.
쾅
쾅

모든 형상은 유한하기 때문이야.
빠
직!

우리가 머릿속으로 하느님을 상상하는 것도 신을 존경하는 게 아니야.
하느님은 엄청 크실 게 틀림없어.

우리가 상상하는 모든 것은 무엇이든지 유한하기 때문이야.
마치 '이웃 나라의 성' 처럼 거대하실 거야.

또 하느님을 이런 저런 장소에 있다고 말해서도 안 돼.
하느님이 다리 위에서 사람들을 지켜보고 계시는 것을 내 사돈의 팔촌의 이웃의 친구가 봤다더군.

한 명 이상의 하느님이 있다고 말하는 것도 하느님을 경배하는 게 아니지.
하느님이 둘이다!
그럴 수가 없지. 무한한 것은 하나 이상 존재할 수 없어.

이렇게 하느님의 본질을 인간이 이해하는 것은 불가능해. 하느님의 존재는 증명의 대상이 아니라 경배의 대상이야.
하느님은 어떤 분이신가
결혼은 하셨을까?
아침은 드시나
취미는 무엇인가
지지지
아이는?
예언서
여호수아

성경의 〈시편〉을 살펴볼까?
시편….
시편….
성서
펄럭

무지한 자들아, 너희가 언제나 지혜로울고. 귀를 지으신 자가 듣지 아니하시랴, 눈을 만드신 자가 보지 아니하시랴.

다윗의 이 말은 하느님의 본성을 나타내기 위함이 아니라
응? 하느님이 귀도 있고 눈도 있어?

하느님을 영예롭게 하기 위해서야.
하느님이 너희의 모든 것을 보고 듣고 계신다는 말이다.

그러므로 하느님을 표현하려는 사람들은 헤아릴 수 없는 속성의 말을 사용하거나
하느님은 무한하시고, 영원하시며

최상급으로 말하거나,
가장 높고 가장 위대하시며
척

규정할 수 없는 말을 사용해야만 해.
세상의 악을 없애시는 거룩하신 분이시도다.
짜잔

이렇게 하느님에 대해 이야기하는 것은 오로지 우리가 얼마나 하느님을 찬양하고

그에게 복종할 준비가 되어 있는가를 선언하는 것이지.

하느님의 본질적 개념을 나타내는 오직 한 가지 이름이 있는데 바로 이것이야.
스스로 존재하는 자

하느님을 경배하기 위해서는 우선 기도와 사은을 할 수 있는데

기도는 은혜보다 앞서고
제가 올바른 결정을 내리고 그것을 따르는 데에 망설임이 없게 하시고….

사은은 은혜에 뒤따르는 것이란 것 외에는 별 차이가 없어.
오오
제 아들이 전쟁터에서 무사히 돌아오게 해 주셔서 감사합니다.

기도는 경박하거나 비속한 말이 아니라
하느님, 제가요, 이번 시험 열라 잘 봐서요, 엄마가 사주시기로 한….

품위 있고 짜임새 있는 말로 해야 해.
은혜로이 내려주신 이 음식과 우리에게 강복하소서.

또한 제물을 바치거나

성찬을 통해 봉납을 할 수도 있는데

이때 바치는 것들도 가장 양질의 것으로서 하느님을 존경하는 표시를 해야 하지.
이 양은 덜 토실토실하니 안 돼.
이 양은 털이 곱지가 않으니 안 돼.
메에에...

하느님 외에 누구에 대해서도 맹세하지 않는 것도 하느님의 권능을 경배하는 거야.
저 우상에 두고 맹세하지.

하느님에 대해 말할 때에는 신중해야 해.
저, 저런!

경솔하게 하느님의 이름을 사용해서도 안 돼.
내 생선을 먹다니! 하느님의 이름으로 너를 용서치 않으리!

하느님의 본질에 대해 논의하는 것도 하느님께 불경한 것이 돼.
"추론을 통한 신의 본질 연구"

이런 것들은 하느님이 아니라 인간 자신의 지혜와 학식을 존경하게 하는 거야.
오! 굉장한 것들을 배웠어!
훌륭하오!
짝 짝

또한 하느님을 내밀히 경배할 뿐만 아니라

공개적으로
엥? 가게 문을
왜 닫소?
교회에 가기
위해서요.
BOOKS

사람들의 눈에 띄게 하느님을
경배해야 하는데

그렇게 해야만 다른 사람들로
하여금
교회에 왜
가는 겁니까?
예배를 드림으로써
하느님을 찬양하기
위해 갑니다.

하느님을 존경하게 할 수 있기 때문이야.

마지막으로 하느님이 인간 이성에 지시하신
법인 자연법에 대한 경배는
이 바구니에서 몰래 사과
몇 개를 가져다 내 바구니에
넣어야지.
다른 사람이 네게 하기를 원치
않는 것을 너희도 다른
사람에게 행하지 말라.
사삭

모든 경배 중에서 가장 큰 경배야.
이래서는 안 되지.
돌려주어야
겠다.
탁

복종이 하느님에게

제물보다 흡족한 것과 마찬가지로
제물이 이쯤이면
되겠지?

하느님의 계명을 어기는 것은
하느님에게 가장 큰 모욕이기
때문이야.
살금

자신의 쾌락을 위해서 어떤 잘못된
일을 하려는 사람은
엇! 도망쳐야겠다!
다 다

그것에 따르게 되어 있는 고통
역시 받아들여야 해.
으악!
비틀

이것이 하느님의 자연적 처벌이야.
으윽
에구구….

방종에는
부어라~ 마시자.
노래를 불러라!

자연적으로 질병의 처벌이,
술, 술을 더….

경솔에는
뭐 괜찮겠지?
흔들
흔들

불행의 처벌이,
첨벙

자만에는
이 나라에 누가 나보다 멋진 보석을 갖고 있겠어?

파멸의 처벌이,
아아악!

반란에는 학살의 처벌이 따르지.
덜덜

이번에는 교회 정치학의 원리에 대해, 그리고 교회와 국가 간의 관계에 대해 알아보도록 하자.

교회는 성서에서 다양한 의미로 나타나고 있어.
성서

어떤 때는 하느님의 집으로 간주되어

그리스도 교도들이 공적인 예배를
드리는 성전을 의미해.

또 그리스의 에클레시아 같은
시민 합의체이기도 하고
내 생각에 이번
다리 공사는….

또한 권리를 가진 모든 그리스도
교도들을 의미하기도 해.

홉스는 교회를 다음과 같이 정의하고 있어.
교회는 그리스도 교 종교를
고백하는 무리이고, 한 통치자
안에서 결합되어 있다.
그의 명령에 따라 그들은
모이고 그의 권위가 없으면
모여서는 안 된다.

교회는 그리스도 인으로 구성된 시민 국가와
동일한 거야.

그러면 교회의 권력은 무엇이고 누구에게
그런 권력이 있을까?

왕이나 통치자들이 그리스도 교를 받아들이기 전에
교회의 권력은 예수의 제자들에게 있었고

그 이후에도 그들에 의해 지정된
복음을 전파하는 사람들에게
전달되었지.
이제 너희가
말씀을 전하여라.

그들의 직무는 사람들에게
그리스도의 복음을 선포하여
이제 곧 하느님의
나라가 오십니다.

그리스도의 재림을 준비하는 데
있었어.
회개하고 이 복음을
믿으십시오.

예수 그리스도의 재림을
이해하기 위해서는
예수님이 왜 세상에
오셨는지를 알아야 해.

예수는 인간들 대신 십자가에 못 박혀 죽음으로써
인간을 죄에서 구원하기 위해 세상에 오셨어.
하하
훌쩍

인간을 창조하시고 사랑하신
하느님이 그의 유일한 아들인
예수를 세상에 내리신 거야.
예수 그리스도를
믿는 자마다
멸망하지 않고
영원한 삶을
누리게 하려
하심이었지.

십자가에서 돌아가신 예수는
사흘 만에 죽은 이들 가운데에서
부활했지.
빌라도 총독
너희는 무덤을
단단히 지키라.
옙!

무덤을 막은 큰
돌을 치워줄 사람이
있을까요?
글쎄요.

이럴 수가! 돌이
이미 치워져
있습니다!

무서워 말라. 그분은
여기에 계시지 않다.
말씀하신 대로
부활하셨다.

그 후 예수는 하늘로
올라가고

다시 세상에 오실 것을
약속했어.
재난의 기간이 끝나면
사람들은 사람의 아들이
하늘에서 구름을 타고
권능을 떨치며 영광에
싸여 오는 것을 보게
될 것이다.

재림할 때에 예수는 회개하지 않는
인간을 심판하고
착한 자들에게는 이렇게 말할 것이다.
너희는 내 아버지의 축복을 받은 사람들이니 와서 세상 창조 때부터 너희를 위해 준비한 이 나라를 차지하여라.

세상의 모든 권력자들을 심판하는 진정한
하느님 나라의 왕으로 오는 거야.
악한 자들에게는 이렇게 말할 것이다.
이 저주받은 자들아, 나에게서 떠나 악마와 그의 졸도들을 가두려고 준비한 영원한 불 속에 들어가라.

예수 그리스도가 그의 사도와
제자들에게 맡긴 사명은
너희는 온 천하에 다니며 만민에게 복음을 전파하라.

앞으로 올 왕국을 선포하는
것이었어.
곧 하느님의 나라가 옵니다.
똑
똑

그들은 명령자나 지휘관이
아니었어.
달칵
복음을 전파하러 왔습니다.

모든 것에 권력은 없고 설득만이 있었어.
예수님께서 말씀하시기를 '사람의 아들은 생각지 않은 때에 온다. 그러니 너희가 늘 준비하고 있어라.' 하셨습니다.

그들의 임무는 법을 만드는 것이
아니라 이미 만들어진 법에 복종할
것을 가르치는 것이었지.
스스로 계명을 지키고, 남에게도 지키도록 가르치는 사람은 누구나 하늘나라에서 큰 대접을 받을 것입니다.

그러나 만약 통치 권력의
도움이 없었더라면 그들은
신약 성서가
쾅

의무적인 경전이 되게 할 수 없었을
거야.

신약 성서는 합법적인 정치 권력이
신약성서

그렇게 만드는 곳에서만 법이
되었지.
그리스도 교를 로마의 국교로 선언한다.

성서를 법으로 만든 통치자들은

그를 개종시킨 예수의 제자들에게
복종하는 것이 아니라

제자들이 그러하듯

자신을 하느님과 예수 그리스도에게만 복종하게 되는 거야.

따라서 그리스도 교로 개종한 왕은
자기 백성의 최고의 목자이고,

백성이라는 전체 무리를 그가
책임지고 있는 거야.

그러므로 그의 권위에 의해

성직자가 가르치고 직무를 수행하는
권리를 갖게 되지.

국가와 교회는 동일한 사람들이야.

통치자가 종교 문제에 관한
백성들의 통치를 교황에게
위임한다면

그때 교황은 그 점에서
통치자에게 종속돼.

교황은 영토 내에서 신적인 권한이 아니라

정치적 권한으로 그 직무를 수행하게 되는 거야.
음, 이번에 마아크가 장군이 됐고, 브라운경이 외교관이 됐고. 어디 보자, 교황 자리에는 누구를 앉혔더라.

그러므로 통치자가
저런, 저런!

그들의 백성을 위해 필요하다고 생각할 때에는
저 교리는 저런 식으로 설명하지 말라고 누누이 말했건만!

그 직무를 되찾을 수가 있다는 거야.
휙
어? 어?

와~ 왕이 교황보다 훨씬 위에 있는 거네?

이렇게 홉스는 교회보다 국가를 더 우위에 두어야 한다고 주장했어.
최고의 권위를 가진 사람은 정치적인 통치자 한 명뿐이어야 해.

만약 최고의 권위자가 두 사람이라면 그 둘이 부딪힐 때 조정할 수가 없게 되겠지.
챙
챙

그리스도 국가에서 가장 빈번한 반란과
너…너희들이 감히!

내란의 구실은
우
죽어라~
당
탕

하느님과 사람의 명령이 서로 대립될 때

이 둘에 순종하는 것이 어렵다는 데서
생기는 거야.
……

두 가지 명령이 서로 대립될 때 하느님의 명령을
따라야 하는 것은 명백하지.
저벅
저벅

그러나 문제는 누군가 하느님의
이름으로 명령할 때
기꺼이
하느님의 뜻을
따르겠습니다!

그것이 하느님으로부터 온
명령인지
흔들
흔들

아니면 자신의 사사로운 목적을 위해
하느님의 이름을 악용하는지
히히!
살
살

많은 경우 알기 어렵다는 것이야.
쉽다, 쉬워.
히히히!

기적은 감탄할 만한 신의 작용을
말하는 것으로
기적을 보여 봐라.
좋소.
휙

사람들로 하여금 하느님에 대한
믿음을 더 견고하게 만들어.
지…지팡이가
뱀이 되었다!
저들에겐
하느님이 함께
하시는구나.

이스라엘 사람들이 하느님의 부름을 받은
모세를 따라 광야를 헤맬 때

배고픔과 피로로 하느님에 대해 불평을
늘어놓기 시작했어.
차라리 이집트 땅에서
노예로 사는 것보다 못해.
우리를 모조리 굶겨
죽일 작정이냐!

그러자 하느님은 만나(manna)를 뿌려주시는 기적을 행하시어
이것은 눈같이 희고 맛은 벌꿀 과자 같구나.
우적
우적
우적

사람들이 하느님을 다시 따르게 만드셨지.
오오
하느님은 정녕 위대하시도다!
오오

기적은 오직 하느님만이 할 수 있는 행위로
아니, 물이 피로 변하다니!
강물도 피로 변하여 물고기들이 죽고 있습니다.
덜덜

백성들의 구원을 위한 대리자의 사명을
으아아~ 이번엔 메뚜기 떼인가!
웅웅웅
쌔앵~

명백히 하기 위해 행해진 일이야.
이스라엘 백성들을 데리고 이집트를 떠나도 좋다.

그러나 예수님의 사도들 이후로 기적이 행하여진 일이 없을 뿐더러 기적을 행하는 주체가 하느님이라는 것을 증명하기가 불가능해.

그러나 거짓 예언자나 성직자들은 이런 저런 기적을 보이며
앉은뱅이를 일어나게 한대요.
설마….

그것이 하느님으로부터 온 명령이라고 믿도록 유도하려고 하지만
신이여! 저와 함께 하소서!
딸랑…

그것은 확실한 증거가 될 수 없는 거야.
이럴 수가!
오랫동안 펼 수 없었던 다리가 쭉 펴지다니!
벌떡

어떤 사람들에게 경이적인 것이
세상에 이럴 수가!
하하하
굽혀졌던 다리가 어찌 저리 펴졌을고?

다른 사람에게는 그렇지 않을 수도 있고,
이건 학계에서 여러 번 보고된 사례예요. 어떤 관절은 작은 충격으로 일시적으로…
꾹
읍!

신성함은
대단한 사람이로다!
흑흑
당신은 정녕 신께서 내게 보내주신 분입니다.

가장될 수도 있지.
낄낄낄, 잘도 속아요.
내일은 슬슬~ 돈 좀 벌어볼까?
크크

우리가 사실 그 자체를 믿는 게 아니라 남이 말하는 논의를 믿고,
딸랑 딸랑
이것이 바로 성스러운 딸랑이입니다! 이것만 있으면 많은 질병으로부터 벗어날 수 있지요.

자연 이성의 원리를 믿는 게 아니라
딸랑 · 딸랑
읍, 읍!

권위를 믿는 것은
예전 성인들도 이 성스러운 딸랑이들로 무수한 기적을 보여 주셨지요.
오오오!

신을 믿는 게 아니라
이 마을 분들이 모두 선한 분들이라 원래 15파운드에 팔던 딸랑이를 오늘은 특별히 10파운드에 나누어 드립니다.

그것을 말하는 사람을 믿는 것이 돼.
여기 한 개 주세요!
저도 주세요!

믿음의 명예가 그 사람에게 가는 거야.
신의 가호가 함께 하기를!
딸랑 딸랑

예언자가 신의 이름을 악용하여 말하는 것을 듣고 제대로 판단하지 않고
이것은 하느님의 뜻이니, 그 나라를 쳐서 하느님께 영광을 돌려야 합니다.

그것을 진리로 받아들이고 그를 신용해서는 안 돼.

말하는 사람의 권위나 그들이 지은 저술의
권위만으로 그것을 믿는다면
로마 교황이 저술하신 이 책에도 이교도들은 우리의 적이라 나와 있습니다.
오오~

그것은 신이 아니라 사람을 믿게 되는 거야.
쯧쯧쯧
와아—.

같은 이유로 로마의 역사가인
리비우스가

신이 한때 소로 하여금 말하게
한 적이 있다고 말했을 때 우리가
그것을 믿지 않더라도
뭐? 소가 말을?
말도 안 돼! 어불성설일세!

이것은 신을 불신하는 게 아니라
이렇게 의심을 하니 우리 벌 받는 것 아닐까?
아니, 우리가 안 믿는 건 신이 아니라 저 사람이지.

리비우스를 불신하는 게 되지.
쳇.

그리스도는 우리에게 자연법을
따를 것과 통치자들의 법에
순종하도록 충고하셨어.
너희는 남에게 대접을 받고자 하는 대로 남을 대접하라. 자기가 하기 싫은 일은 남에게 시키지 말라.

천국에 들어가기 위해서는 두 가지만
기억하면 돼.
히힛

그리스도에 대한 믿음과
예수님이 우리의 구세주 그리스도이옵니다.

법에 대한 복종이 바로 그것이야.
법

명백히 신의 영원한 법인 자연법에 어긋나지 않도록 모든 일에 있어서 모든 사람은 국가의 법에 의해 신의 법이라고 선언된 것을 신의 법으로 간주하고 복종할 의무가 있지!

어둠의 왕국에 대하여

홉스가 인간론에서 얘기했듯이
신에 대한 생각은
빠직
우가우가!

인간 본성에서 제거되지 않아.
우가 우가가!

과학이 발달한 현대 사회에서도

종교에 대한 인간들의 욕구는
딱

줄어들지가 않지.
가톨릭 TV
율법과 예언서의 정신

지금도 종교 때문에 전쟁이 끊이지 않고 있어.
알라의 가호가
우리와 함께 하기를!

미신에 대한 것도
마찬가지야.
타로점
손금
내가 어제
꿈을 꿨는데~

종교의 기원은 공포와 두려움에
있어.
으아아악!
콰콰

고대 사람들은 자연 현상의
원인을 모르기 때문에 두려움을
갖지 않을 수 없었지.
집이 모두 무너져
버렸네. 대체 왜 땅이
이렇게 흔들린 거지?
으악

인간은 자신의 힘으로 통제할 수 없거나
왜 이런 질병이 생긴 거지?
벅벅

엄청난 자연 현상을 일으키는 대상에
으아악!
콰콰쾅

신이라는 이름을 붙이기 시작했지.
펑
신의 분노다!
우리를 벌하시는 거다!

악한 사람들은
쳇, 포도주가 잘 안 팔려 잔뜩 쌓여 있네.

이런 사람들의 공포와 무지를 포착하고는
신이시여, 어떻게 하면 노여움을 거두시고 비를 내려주시겠습니까?
!

교묘하게 그것을 이용하여
그냥 기도만 할 것이 아니라 신이 좋아하는 제물을 바치면 신의 분노가 풀릴 거요.

자신들의 이익을 챙겼지.
신이 이 포도주를 그렇게 좋아 하신다는데….
그래요? 그거 얼마요?

광인을 이용하기도 하고
이분에게 성령이 들렸다! 성령이 들렸다! 예언을 하신다!
에베베

때로는 죽은 자와 소통을 할 수 있다는
제 손을 잡으십시오. 이제 저에게 당신 아버지의 혼이 들어옵니다. 으헉으헉!

마녀들의 예언을 이용하기도 했어.
아들아, 내가 네 아버지다. 나를 죽인 자는 피피 장군이니 가서 나의 원수를 갚아라.
아, 아버지?

당장 달려가 원수를 갚겠다. 피피 장군!
휘잉

이것은 물론 남을 속이고 그들과
공모한 부정 행위에 지나지 않아.
다다…

홉스는 사람들이 눈에 보이지
않는 힘에 대한 두려움 때문에
으아악!
우박이다!
투둑
툭

셀 수 없는 신을 만들어냈는데

대다수의 사람들이 믿고

공적으로 인정되면 종교가 되고
가톨릭을 국교로
인정한다.

그렇지 않으면 미신이 된다는 거야.
어…어….

종교인지, 미신인지 판단하는 기준을 믿는 사람들의 숫자와
국가 권력이 인정하느냐에 따라 나눔으로써
휙
미신 숭배자들을
처단하라!
쿵
도망가자.

홉스는 종교를 정치권 아래에 둔 거야.

이렇게 교회보다 국가를 우위에 두고,
정치적 통치자만이 최고의 권위를
갖는다고 한 거야.

그러나 이런 세속적인 정치 권력을
약화시키고
스윽

사람들의 정신 세계를 지배하려는
꾸벅
꾸벅

무리들이 있어.

이들이 바로 어둠의 세계 지배자들이야.
히익!

그들은 단지 속이는 자들의 연합이야.
자, 이 세 컵 중에 주사위가 든 컵을 고르면 되는 거야.
간단하지?

이 세상을 지배하는 권력을 획득하기 위해
여러분이라면 초라한 집에서 저녁을 얻어먹겠습니까, 훌륭한 집에서 저녁을 먹겠습니까?
훌륭한 집이요.

잘못된 교리를 사람들이 믿게 하는 자들로
그럼 여러분이 하느님이라면 초라한 교회에 들어가겠습니까, 화려한 교회에 들어가겠습니까?
화려한 교회요!

사람들을 믿음으로부터 멀어지게 만드는 것은 바로 타락한 성직자들이야.
교회 건설을 위한 기금 모금에 적극 동참해주십시오.
와!

역사적으로 타락한 종교 지도자들은 셀 수 없이 많아.
자, 이리 모이시오! 여기 천국으로 가는 지름길이 있습니다!
면벌부

그들은 죄를 사해준다는 면벌부를 만들어 사람들에게 팔기도 하고
교황께서 발행하는 면벌부를 사면 벌을 면제받을 수 있습니다.
면벌부
오…
사는 액수만큼 벌이 줄어든대.

자신들의 성직을
대주교가 되려면 이 정도가 필요하고, 일반 주교는 이 정도….
헉! 금액이 엄청나네요.

많은 돈을 주고 팔거나
하지만 일단 대주교가 되면 그때는 그 누구도 부럽지 않은 권력이….

사기도 하고
오늘도 병자들을 위한 특별 헌금이 있습니다.
얼마를 주고 이 자리를 샀는데, 최대한으로 받아내야지.

마녀 사냥이라는 명목하에
저 여자는 마녀입니다! 악마를 숭배하는 걸 제가 봤어요!

죄 없는 많은 사람들의
흥, 네가 내 아들 흉을 보고 다녔지?
흐흑!

생명을 빼앗기도 했지.
쿵
마녀를 모조리 잡아 죽이자!

성서는 하느님의 말씀을 기록한 책으로
신의 왕국을 인간에게 보여주고
성서

신의 유순한 백성이 되도록 마음을 준비시키기 위해 쓰였어.

그러나 성서는 워낙에 비유적이고
은유적인 표현이 많아.
달란트의 비유
포도원 소작인의 비유
겨자씨의 비유
무화과나무의 비유

그래서 성서의 원래 의미와는
상관없이
'어떤 여자가 누룩을 밀가루 서 말 속에 집어넣었더니 온통 부풀어 올랐다' 라~

성직자들이 자기들 마음대로
해석하곤 해.
이 누룩의 비유에서 보듯, 여러분이 헌금하는 것의 몇 배로 하느님은 갚아주십니다.

성서가 자국어로 번역되기 전에
영어도 잘 못 읽는데 라틴 어를 어떻게 읽겠어?
끄응
성서

성서를 해독할 수 있는 사람은
교육받은 사람과 성직자뿐이었어.
후후

그래서 이들의 해석에 대해
사람들이 이의를 제기할 수 없었기
때문에
이는 주님의 말씀입니다.
아멘.

성직자들만이 성서 해석을 독점할 수 있었지.

그러므로 성서를 해석할 때에
새 포도주를 낡은 가죽 부대에 넣는 사람은 없다. 그렇게 하면 부대가 터져서 포도주는 쏟아지고 부대는 버리게 된다. 새 포도주는 새 부대에 넣어야 한다

무지한 성직자나
이게 뭔 소리야… 그냥 문자 그대로 해석해야겠다.
여기서는 술을 저장하는 방법에 대한 말씀이신데….

타락한 성직자들은
흐~음. 가죽 부대라….

자기에게 유리한 대로 성서를 해석하게 되었지.
낡은 통치로는 아무것도 이룰 수 없습니다. 지금의 왕은….

나는 수사학이 싫어.
수사학은 연설의 효과를 올리기 위한 화법을 연구하는 학문이지.
벌럭
벌럭

수사학은 희망, 공포, 분노, 연민 같은 감정을 자극해서 사람들이 어떤 일에 대해 합리적인 판단을 하지 못 하도록 만들지.

이 어둠의 세력이 저지른 성서에 대한 가장 큰 오용은
크크크
성서

성서에 종종 언급된 하느님의 나라가
뿌우—

지금 세상에 있는 교회라는 것을 증명하려는 거야.
바로 이곳이 하느님의 나라!

하느님의 왕국에 대한 얘기를
하려면 모세 이야기를 알아야 해.

이집트의 파라오는 유대 인의 인구가
늘자 그들이 두려워졌어.
유대 인들의 모든
사내아이는 태어나자
마자 죽여라!

갓난 모세는 바구니에 넣어 강물에
띄워 보내졌는데
어찌 내 손으로
죽이리오.

다행히 이집트 공주가 이것을
발견하고 모세를 입양해서 살아났지.
오오
어마, 귀여운
아기로구나!

하지만 성년이 된 모세는 동족인
유대 인을 때리는 이집트 인을
쳐죽이고
개만도 못한
유대 인!
착

퍽
억!
저 사람 엄청난
짓을 저질렀구먼.

도망쳐 광야를 방황하다
휘잉

하느님의 목소리를 듣고
모세야, 모세야!
예, 말씀하
십시오.

너로 하여금 내 백성
이스라엘을 이집트에서
건져내어 젖과 꿀이
흐르는 땅으로
인도하겠다.

유대 인들을 이집트에서 탈출시켜
가나안으로 이끌게 되지.

그 유명한 홍해를 가른 이야기도 여기에서 나오지.
콰콰콰

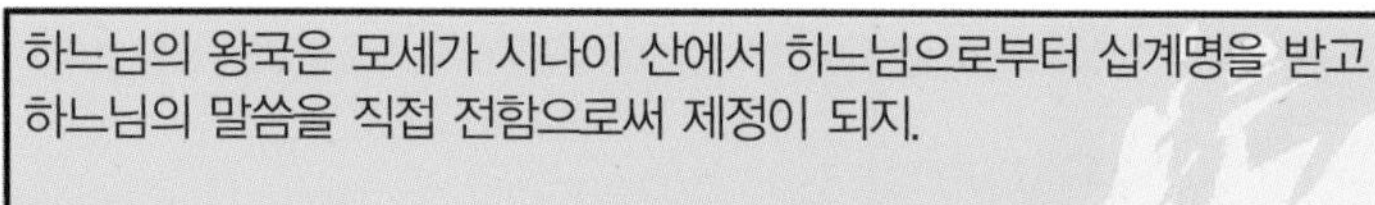
하느님의 왕국은 모세가 시나이 산에서 하느님으로부터 십계명을 받고
하느님의 말씀을 직접 전함으로써 제정이 되지.

이 모든 말씀은 하느님께서 하신 말씀이다. '너희 하느님은 나 야훼다. 너희는 내 앞에서 다른 신을 모시지 못한다. 너희는 우상을 섬기지 못한다. 너희는 너희 하느님의 이름 야훼를 함부로 부르지 못한다. 안식일을 거룩히 지켜라. 너희는 부모를 공경하여라. 살인하지 못한다. 간음하지 못한다. 도둑질하지 못한다. 이웃에게 불리한 거짓 증언을 하지 못한다. 네 이웃의 집을 탐내지 못한다.'
십계명

결국 하느님의 왕국은 모세가 시나이 산에서
가져온 하느님의 법에
하느님의 말씀을 전한다. '세계가 다 내게 속하였나니 너희가 내 말을 잘 듣고 내 언약을 지키면 너희는 열국 중에서 내 소유가 되겠고 거룩한 백성이 되리라.'

이스라엘 백성이 복종함으로써 성립되는
정치적 왕국이야.
주께서 명하신 대로 우리가 다 행하리이다.

이 왕국 안에서 하느님은 왕이시고

모세는 최고 성직자가 되는 거야.

모세는 가나안 땅을 못 밟고
광야에서 인생을 마감해.
하느님께서 모세를
거두셨습니다.
흑흑…

그리고 모세가 죽은 이후에는 다른 성직자가
그의 유일한 대리인이 되지.
힘을 내어라, 용기를 가져라. 야훼께서 맹세하신 땅으로 이 백성을 이끌고 들어갈 사람은 바로 너 여호수아다.
나를 따라 가나안 땅으로 가자.

그러나 이 하느님의 왕국은 이스라엘 백성이 하느님에 의해 통치받는 것을 거절하고 자신들의 왕을 세움으로 끝나.

예수는 죽음으로써 사람들의 죄를 해결한 후
흑흑… 우리 죄를 위하여 대신 돌아가시다니….
비틀
비틀

다시 돌아와 진정한 하느님 왕국을 통치할 것임을 약속하지.
결론적으로! 아직 그의 재림은 이루어지지 않았어.

그러므로 하느님의 왕국도 아직 오지 않은 거야.
이제 곧 하느님의 나라가 옵니다.

그렇다면 이 시기에 지상의 통치권은 누구에게 있을까?

홉스는 두 가지 조건을 만족시키는 사람에게 통치권이 주어져야 한다고 했어.
두둥

첫째는 통치할 수 있는 실질적인 힘을 가진 사람이어야 하고
휘잉

둘째로 백성들의 자발적인 계약에 의해
우리의 안전을 보장해 주십시오.

통치자로 세워진 사람이어야 한다는 거야.

따라서 지상의 국가는 통치권을 부여받고 권력을 장악한 통치자의 지배를 받아야 마땅한 거야.

그러나 성직자들은 지금 지상에 있는 교회가 하느님의 왕국이라는 잘못된 가르침을 퍼뜨리고 있어.
휙

그럼으로써 다음과 같은 세속적인 이익을 얻기 위해서지.
이익은 무슨 이익!
하느님의 영광을 위해서라니까!

첫째, 성직자들은 하느님의
공적인 대리자로서 교회를
통치할 권리가 주어지고,

교회와 국가는 동일한 사람들로
구성된 동일한 인격체이므로
국가를 통치할 자격도
주어지지.
또한 우리의 우두머리는
바로 로마 교황!

이 자격으로 교황은 모든 그리스도
교도인 왕들 위에 있게 되고

교황에게 복종하지 않는 것은
소피아 성당을
짓는 데 협조해라.
지금 우리 나라의
상황으로선 어렵소.

그리스도에게 복종하지 않는
것이 돼.
헉!
후후

모든 왕들의 합법적인 통치권을
굴복시킴으로써
무슨 수를
써서라도 돈을
마련하겠소.
거울로 빛을
반사시킨 건데~
낄낄!

교황은 모든 그리스도교 국가들의 보편적인
군주가 되는 거야.

그래서 합법적으로 왕권을 부여받은
통치자들을

파면시키고
감히 교회에
경고를 해?
왕직을
파면시킨다!

자신의 왕국의 모든 공적인 복무에
이 나라에 요즘
신교도들이 난리를 피운
다는데 군대를 보내어
조금 도와주도록 할까?

접근하지 못하게 하는 거야.

이런 어둠의 세계의 장본인들은
바로 교황청의 신부들과

장로교의 목사들이야.

둘째, 어떤 국가든지 모든 주교들은

그들의 권리가 직접적으로는
하느님으로부터,
척

간접적으로는 정치 통치자가 아닌
교황으로부터 왔다는 가르침이야.
X
O

이것에 의해 모든 그리스도 교
국가에서 유력한 주교들은
거기 서라!
멈칫
흥!

교황에게 복종하게 되는 거야.
흥!
철퍽

이것은 교황이 그 자신에게 복종하지 않은 국가들을 상대로
전쟁을 할 수 있다는 것을 의미해.
하느님의 이름을 욕되게
하는 자! 벌 받으리!
종교의
자유를 달라.
너희야말로 하느님의
이름을 더럽힌다!

셋째, 모든 주교들, 신부들,
수도사들이
쓱쓱
슬금~ 슬금~
톱질하세~

시민법의 권력으로부터 면제된다는
것이야.
철컥
시민법

이런 방법으로 법의 혜택은 즐기고
도둑이야!
도둑이야!

정치적 국가 권력에 의해 보호는
받으면서
내 보석
내놔!

공공 비용은 지불하지 않으려는
세금을 거두러
왔습니다.
하느님의 말씀을
전하기도 바쁜데
돈까지 내라고?

사람들이 국가 안에 존재하게
되는 거야.
땅은 제일 넓게
차지하고 있으면서….
콕

그들은 다른 백성들처럼
죄 없는 이를
때리고 감금했다
들었습니다.
죄 없는 이?
세상에 죄 없는 이가
어디 있는가.

자신들의 범죄에 대해
그 농사꾼 녀석이 논에
물을 대다 내 옷을 더럽히는
바람에 예배에 늦어 많은
사람들이 하느님의 축복을
덜 받았는데,

적절한 처벌도 받지 않으면서
그게 죄가 아니란
말이냐!

교황 외에는 누구도 두려워하지 않는
사람들이지.
남의 땅에 함부로
들어온 저 병사
놈들을 내쫓아라!

오직 교황에만 들러붙어서 그의 보편적인
군주권을 지키려고 하지.
시원~
하시죠~
교황니임~
쓰쓱

넷째, 성직자들에게 희생자라는
이름을 부여하는 것이야.
희생자
치~즈.

이것은 하느님이 왕이셨던
유대 인들 가운데 정치 통치자들의
칭호였어.

그렇게 함으로써 모세가
유대 인들에게 행사하던
아카시아 나무로
제단을 만들어라.

모든 정치적 종교적 권력을 자신들이 가졌다고 믿게 하는 것이지.
최고급 대리석으로 나의 교회를 지어라!

다섯째, 결혼이 성스러운 예식이라고 가르치고

성직자들이 결혼의 합법성을 판단한다고 가르치지.
이 결혼은 축복할 수가 없네.

그러므로 어떤 왕의 후계자가 합법적인 결혼으로부터 나온 사람인지 아닌지를 결정함으로써
너는 합법적이지 않은 결혼으로부터 나온 자식이니, 부적격!

왕위 계승권을 결정하게 되는 거야.
이 사람이 적격!
꽈당
배고파…

여섯째, 성직자의 결혼을 금지함으로써
안녕하세요, 신부님.

교황권이 왕 위에 있음을 확인시키지.

왜냐하면 만약 왕이 성직자이면

그는 결혼을 할 수 없고
!!

왕국을 그의 후손에게 상속시킬 수가 없게 되지.
결혼을 못하니 자식이 없다. 누구에게 이 왕국을 넘겨야 할고.

만약 성직자가 아니라면

교황은 왕과 그의 백성들에 대한 종교적 권위를 주장하게 되지.
왕이 성직자가 아니니 백성들에게 하느님의 말씀을 전하는 사람은 내가 되어야 하지.

일곱째는 고백 성사를 통한 것이야.

고백 성사는 교인들이 지은 죄에 대해 진정으로 그것을 뉘우치고
오늘도 말과 행위로 많은 죄를 지었나이다.

죄를 겸손하고 숨김없이 고백하여 하느님께 용서를 받는 성사로
집으로 찾아온 걸인을 매몰차게 쫓아내고 뒤에서 조롱하였습니다.

세상의 죄를 용서하는 권한이 있는 유일한 분인 그리스도를 대신하여
저의 모든 잘못에 대하여 진심으로 통회하나이다.
자비를 베풀어 주소서.

교회의 대표자인 사제가 그들의 죄를 용서하는 것이야.
주님께서 죄를 사하여 주셨습니다.

이 고백 성사를 통해 교회들은 왕과 국가의 중요한 사람들의
그동안 지은 죄를 뉘우치고 사실대로 고백하십시오.

계획에 관한
이웃 나라와의 전쟁을 결정하는 데 있어, 제 사촌의 안위만을 걱정하여 그것을 반대하였습니다.

최고의 정보를 획득하게 되지.
흐음~ 전쟁이 결정되었다고?

여덟째, 성자의 시성과 누가 순교자인지를 선언함으로써
그는 하느님의 말씀을 따르기 위하여 자신의 목숨을 바친 순교자로 진정한 하느님의 자식이었습니다.

자신들의 권력을 확보시켜.
그의 죽음은 헛되지 않고 하느님 곁에서 영원한 생명을 얻게 될 것입니다.
훌쩍
훌쩍

교황이 파문으로
나는 그 장군에게 파문을 선고한다. 이제 그 장군은 모든 교회의 적이다.

교회의 이단자나 적으로 선언함으로써
뭐! 타락한 성직자를 처벌하였다고 나를 파문시키다니!
병사들은 나를 따르라!

그들은 단순한 사람들을
와아
힉!

자신들의 통치자의 법과 명령에 대항하여
너희는 육신의 죽음이 아까우냐, 영원한 삶이 아까우냐. 가서 대항하라.

죽을 때까지 저항하도록 유도할 수 있게 되지.
나도 죽음으로 나의 믿음을 증명하고 하느님의 나라로 가겠다!
성스러운 죽음을 택하자!

종교의 이름으로 저질러지는 박해와
이교도들은 꺼져라.
퍽
퍽

순교,

전쟁에 대해 홉스는 그것이 하느님의 뜻이 아니라고 했어.
탕

아홉째, 지옥에 관한 이야기,
지옥에 가면 마귀와 지글지글 끓는 기름 솥이 있습니다!
덜덜

외적인 노력에 의한 구원,
우리가 지은 많은 죄로 지옥에 가야 하지만, 은혜로우신 하느님께서 우리가 속죄할 수 있는 길을 주셨습니다.

그리고 속죄의 교리에 의해
바로, 헌금을 통해서입니다!
헌금함

성직자들은 부유해지게 되지.
꺼억

열, 귀신론과 악령 추방,
우히히히~ 세상을
멸망시키리.
악령이 들었다!
신부님을
불러!

그리고 그것에 관련된 것을
사용함으로써
물러가라,
악마야!

그들은 사람들이 그들의 능력을
경외하게 만들지.
으어어!
쿵

오오~ 악령을
물리치셨도다!
신부님, 만세!

마지막으로 교황권에 의해 세워지고
유지되어온 대학에서 가르치는

형이상학, 윤리학, 스콜라 학자들의
모호한 언어 등은
과학으로는 증명할
수 없는 수많은
진리가 존재하며
우리는 직관이나
사색을 통해….

이런 오류들이 드러나지 않도록
하는 데 도움을 주고 있고
오, 역시 대학에서
공부한 부분이라
이해하기 쉽군.

사람들로 하여금 헛된 철학을 복음의
빛으로 오해하게 만들고 있지.

대주교가 왕관을 씌워주지 않는 한

왕은 그리스도로부터 그의
권위를 받은 것이 아니라든지,
이제야 진정한
우리들의 왕이
되셨도다!
와아~

로마의 법정에 의하여 왕이
이단이라고 판단되면
그 나라의 왕은
신실한 가톨릭
신자가 아니다.

신하들은 그로부터 해방될 수
있다든지,
어… 어디가?

왕이 교황에 의해서
마음에
안 들어.

아무런 이유도 없이 축출되고

그의 왕국이 교황의 신하 중
한 사람에게
…

주어질 수 있다든지 하는 따위를
믿게 하는 것이
이제 네가
왕이다.
야호!

누구의 이익에 도움이 되는 것인가를
깨닫지 못하는 사람은 없을 거야.
이걸로 홉스 입 좀
막고 오게.

그러므로 모든 영적인 어둠의 세계의 장본인들은
바로 교황과 가톨릭의 성직자들이야.
오늘도 좋은 말씀
많이 들었습니다.
가서 복음을
전하십시오.

그들은 잘못된 교설을 사람들의
마음속에 심어서 가장 많은 이익을
보는 사람들이지.

인간론, 국가론,
종교론까지 이제
슬슬 마무리를 지어야
할 시간이 됐구나.

쉿! 사람들이
《리바이어던》과
홉스 아저씨에 대해서
얘기하고 있어요!

홉스는 워낙에 겁이 많은 사람이었지. 리바이어던은 홉스의 병적인 공포증에서 나온 괴물이야.
왕 밑에 있다가 크롬웰 밑에 있다가 또 왕한테 갔다가, 어휴, 형편 없는 겁쟁이였다고.
인간성에 대해서도 어쩜 그렇게 무시할 수가 있지? 인간 본성이 그렇게 이기적일 리가 없잖아.
통치자의 권력이 그렇게 크면 문제가 얼마나 많은지 정말 모르고 쓴 걸까?
자기 입으로는 평화, 평화 했지만, 《리바이어던》이야말로 혼란에 한 몫한 책이 아니겠어?
홉스만큼 철저히 논리적으로 새로운 국가 철학을 제시한 사람이 어디 있었나?
그는 시민 사회의 성립을 사회 계약론으로 설명한 최초의 근대 정치 철학자이네.
홉스는 영민한 심리학자였지. 그의 탁월한 인간론에는 혀를 내두를 수밖에 없네.
《리바이어던》의 성서에 대한 깊은 연구와 해석은 또 어떻고.
그의 주옥같은 표현들이 현대 사회에서 더 빛을 발하는 걸 모르나?
SPORTS
와~ 정말 의견이 분분해요!
디자이너가 자기 옷을 두고 '최고의 디자인' 이라고 하면 누가 고개를 끄덕이겠어? 평가는 후대 사람들이 하는 것이지.

나는 《리바이어던》이 옳지 못한 해석자의 도움 없이 스스로 이 책을 고찰하여, 완전한 주권 행사에 의해서 백성을 보호할 수 있는 통치자의 손에 쥐어지기를 바랄 뿐이었단다.

읽고 나면 홉스와 더 친해지는 7가지 이야기

베스트팔렌 조약 (1648)

1648년 10월 24일, 독일 30년전쟁을 끝나게 한 조약이 바로 베스트팔렌 평화 조약이에요. 30년전쟁은 1618년에서 1648년 사이 독일을 주 무대로 벌어진, 신교와 구교 간에 벌어진 최대 종교전쟁이지요. 동시에 30년전쟁은 독일에 대한 영토적 야심을 가진 네덜란드, 스웨덴, 프랑스, 에스파냐 등 유럽의 여러 나라들이 참여한 국제전이었어요.

종교적 신념으로 시작되었지만 독일의 영토에 대한 야심으로 전환하면서 가톨릭 국가인 프랑스는 스웨덴과 연합작전을 펼치며 신교 세력을 지원, 에스파냐를 제압하면서 전쟁을 종결시키기 위한 협상이 급진전되었죠. 그러다 마침내 1648년 10월 24일 베스트팔렌의 작은 동네 오스나브뤼크에서 조약이 체결되었어요.

30년전쟁에 참전한 군인의 모습

이 평화조약의 주요 내용 및 결과는 첫째, 전쟁에 승리한 프랑스와 스웨덴의 영토가 확장된 거예요. 프랑스는 알자스 대부분을 포함한 라인강 유역까지 국경을 확장했고, 발트해와 북해의 광대한 영토를 획득했어요. 둘째, 스위스와 네덜란드는 독립국의 지위를 승인받게 되었어요. 셋째, 1555년 아우크스부르크의 종교화의(和議)가 정식으로 승인되어 칼뱅파에게도 루터파와 동

베스트팔렌 조약이 체결된 곳인
오스나브뤼크의 하세 강

등한 권리가 주어졌어요. 아우크스부르크 종교화의는 '영주의 신앙이 영내를 지배한다.' 라는 원칙으로, 신앙선택의 자유를 얻은 것은 영주뿐이며 영주에 예속된 농노들은 신앙선택의 자유를 인정하지 않았어요. 그러나 베스트팔렌 조약은 여기에서 더 나아가 농노나 예속인들이 영주와 종교가 다를 경우에도 자신들이 선택한 종교행사에 참여할 수 있는 권리를 처음으로 인정했어요. 베스트팔렌 조약에 대한 거부는 누구도 할 수 없게 해, 교황이 독일 문제에 개입하지 못하도록 했어요.

결국 베스트팔렌 평화조약은 유럽에서 모든 가톨릭교회와 교황의 지배적 역할을 붕괴시키고 새로운 근대적 질서를 가져왔어요. 제후들은 완전한 영토적 주권과 통치권을 인정받았고 모든 종파들이 동등한 지위를 얻게 되었어요. 교황이 지배하던 구질서가 약화되고, 정치는 종교에서 분리되어 세속화되고, 국가 간에는 세력균형으로 질서를 유지하는 체제로 새로워졌지요. 이것은 유럽의 근대화와 절대주의 국가의 성립에 절대적인 영향을 미치게 되었어요.

이 조약으로 합스부르크 왕가는 권력이 약화되고, 에스파냐가 네덜란드를 잃으면서 서유럽에서 영향력을 잃게 되었어요. 반면 프랑스의 영향력은 크게 향상되었지요.

데카르트 (1596~1650)

데카르트는 1596년 3월 31일 프랑스 투렌라에에서 태어났어요. 관료귀족 집안 출신으로 생후 1년 만에 어머니와 사별하고, 10세 때 예수회의 라 플레슈 학원에 입학하여 논리학, 철학 등을 배웠어요. 20세 때에는 푸아티에대학에서 법학을 공부했어요. 22세 때 네덜란드 과학자 베크만에게서 수학을 배우며 통일된 자연과학에 대해 눈을 뜨게 되었어요. 그 후 네덜란드 군대에 입대하기도 하고, 1620년부터 8년 간은 유럽을 여행하며 견문을 넓히기도 했어요.

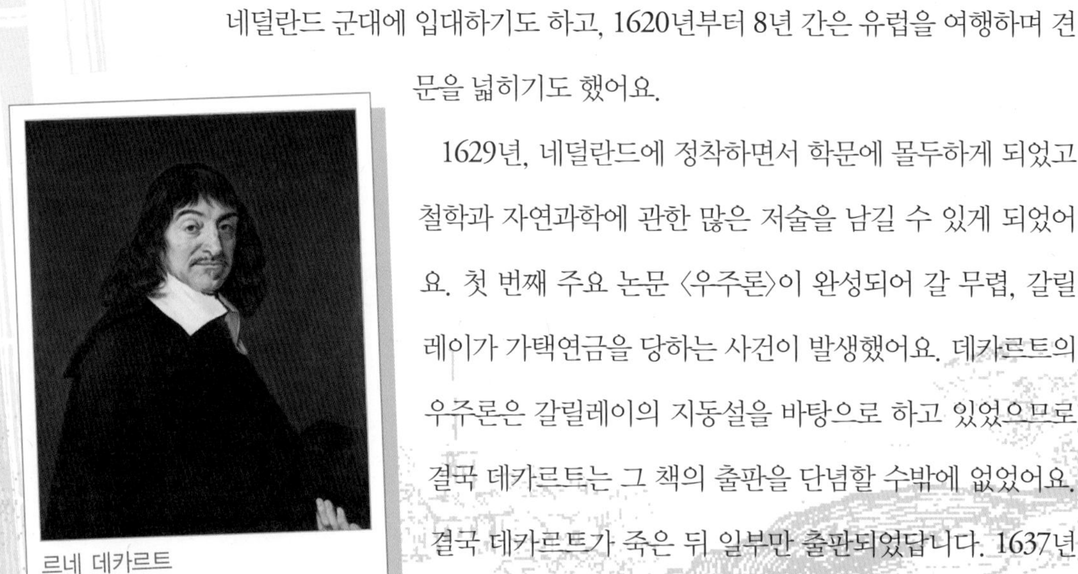

르네 데카르트
René Descartes

1629년, 네덜란드에 정착하면서 학문에 몰두하게 되었고 철학과 자연과학에 관한 많은 저술을 남길 수 있게 되었어요. 첫 번째 주요 논문 〈우주론〉이 완성되어 갈 무렵, 갈릴레이가 가택연금을 당하는 사건이 발생했어요. 데카르트의 우주론은 갈릴레이의 지동설을 바탕으로 하고 있었으므로 결국 데카르트는 그 책의 출판을 단념할 수밖에 없었어요. 결국 데카르트가 죽은 뒤 일부만 출판되었답니다. 1637년 데카르트는 친구들의 권유에 따라 《굴절광학》《기상학》《기하학》을 출판했어요. 그 모든 저작들은 수학에 바탕을 두고 있는데, 데카르트는 아리스토텔레스의 논리학보다

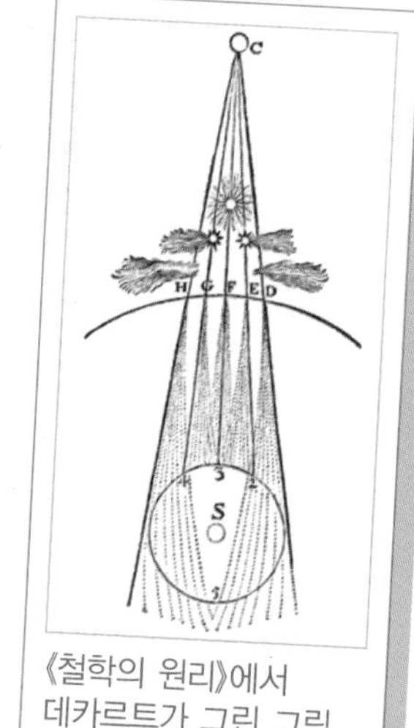

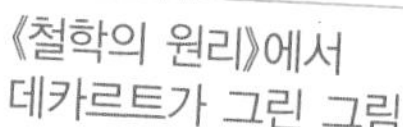

《철학의 원리》에서 데카르트가 그린 그림

는 수학이 참다운 지식에 접근하는 방법이라고 확신하게 되었어요. 1644년 《철학의 원리》를 저술함으로써 데카르트는 철학적 근거로 전 세계를 설명하려는 시도를 했어요.

데카르트는 아리스토텔레스적인 스콜라 철학을 거부하고 최초로 정신과 물질의 독립적인 이원론(dualism)을 주장했어요. 중세 스콜라 철학은 신앙과 이성, 자연과 지식 사이의 완전한 일치를 믿고 있었어요. 신은 완전한 존재이고 세계는 이런 완전한 신에 의해 지음 받은, 그림자와 같은 것이었죠. 따라서 이런 상태에서 이성과 자연에 접근하는 것은 신에게 접근하는 하나의 방법이었어요. 그러나 데카르트는 이런 스콜라 철학의 세계를 거부하고 정신과 물질이 별개의 것이라는 이원론을 서양 철학사에서 최초로 주장하면서 '근대철학의 아버지' 로 불리게 되었어요. 데카르트는 신은 정신적인 것도 물질적인 것도 아니고, 그 두 가지의 합성도 아니라고 보았어요. 신은 초월적인 존재인 반면, 인간은 유한한 정신과 신을 통해서 물질세계를 인식할 수 있다고 보았답니다. 그러나 이런 신의 초월성은 도리어 정신과 물질을 신으로부터 독립시키는 결과를 가져왔어요.

데카르트는 학문의 기초를 세우는 방법으로 '의심하는 것' 을 주장했어요. 조금이라도 불확실한 것은 의심해 보아야 한다는 것이죠. 결국엔 의심하는 나 자신의 존재만은 의심할 수가 없게 되면서, '나는 생각한다, 고로 나는 존재한다.(cogito ergo sum)' 라는 근본 원리를 확립하게 되었답니다.

존 로크 (1632~1704)

존 로크는 1632년 8월 29일 영국의 작은 마을 링턴에서 출생했어요. 1647년 런던에 저명한 웨스트민스터 스쿨에 다니다, 1652년 옥스퍼드대학에서 윤리학, 철학 등의 학문을 접했고, 특히 이 시기에 데카르트 철학을 접하게 되었어요. 이때부터 1667년까지 로크는 의학 등 다양한 분야의 학위를 따고, 그 후 휘그당의 창시자인 샤프츠베리의 곁에서 일하며 정치에 관여, 저술 활동도 하게 돼요. 1679년 로크는 명예혁명을 지지하고 홉스나 필머 같은 절대주의 정치학자들을 반대하기 위해 《통치론 Two Treaties of Government》을 완성했어요. 이어서 1689년에는 《관용에 대한 편지 A Letter concerning Toleration》를 썼고, 1690년 《인간오성론 An Essay concerning Human Understanding》을 쓰게 되었지요.

존 로크
John Locke

로크는 당시 다른 철학자들과는 달리, 자연 상태에서 인간은 주변 사람의 동의 없이도 노동을 통하여 신이 준 자연을 소유할 수 있다고 보았어요. 그러나 이 소유에는 한계가 있는데, 그 한계는 자신이 사용할 수 있는 만큼만 소유해야 한다는 것이에요. 예를 들어 어떤 사람이 혼자 먹을 수 있는 것 보다 더 많은 양의 고구마를 얻어 그것을 썩게 만든다면 그것은 자연법에 어긋나는 거예요. 반면에 금과 은 같은 썩지 않는 물건들은 인간이 자연법칙을 어기지 않는 한도 내에서 얼마든지 소유가 가능하다고 보았어요.

AN
ESSAY
CONCERNING
Humane Understanding.

In Four BOOKS.

Written by JOHN LOCKE, Gent.

The Fourth Edition, with large Additions.

As thou knowest not what is the way of the Spirit, nor how the bones do grow in the Womb of her that is with Child: even so thou knowest not the works of God, who maketh all things.

LONDON:
Printed for Awnsham and John Churchill, at the Black-Swan in Pater-Noster-Row; and Samuel Manship, at the Ship in Cornhill, near the Royal-Exchange, MDCC.

로크가 쓴
《인간오성론》 표지

로크는 자연법칙 하에서 자유를 누릴 수 있다고 보았고, 자신의 재산이 도난당한 경우 그 도둑을 처벌할 권리가 누구에게나 있다고 보았어요. 그러나 인간들이 자신의 재산을 효과적으로 지키기 위해서는 어떤 제3의 기관이 필요한데, 그 과정이 '사회계약'이라고 주장했죠.

홉스는 사회계약에 의해 성립된 국가는 절대적 권리를 가진다고 주장한 반면, 로크는 국가가 절대권력을 행사하는 기관이 되어서는 안 되며, 입법부가 정한 법에 의해 국민을 통치해야 한다고 보았어요. 국가가 국민의 안전과 생명을 보호하는 일을 잘 이행하지 못할 경우, 국민은 그 계약을 파기할 수 있다고 주장했지요.

이러한 로크의 사상은 정치철학에 매우 큰 영향을 주었고, 볼테르와 장 자크 루소에게 영향을 주었으며, 미국 혁명을 비롯한 여러 스코틀랜드 계몽주의 사상가들에게도 영향을 주었어요.

베이컨
(1561~1626)

1561년 1월 22일 런던에서 태어난 베이컨은 영국 경험주의 철학의 창시자예요. 1584년 엘리자베스 여왕 치하에서 처음으로 국회의원이 되었고, 특히 제임스 1세가 즉위한 후 베이컨은 출세가도를 달렸어요. 1603년 베이컨은 기사작위를 받았고, 1613년 검찰총장을 역임하였으며 1618년에는 대법관이 되었어요.

프란시스 베이컨
Francis Bacon

그러나 1621년부터 그의 공직생활에는 어려움이 찾아왔어요. 의회는 23개의 부패 혐의로 베이컨을 고발하고, 4만 파운드의 벌금을 물렸으며, 베이컨을 런던타워에 감금하기까지 했어요. 게다가 의회는 베이컨이 다시는 의원이 되지 못하도록 결의했어요. 이후 베이컨은 이 굴욕을 극복하기 위해 연구와 저술 활동에 전념했어요.

베이컨은 단지 철학 사상을 제시한 것이 아니라, 철학을 하는 방법론을 발전시켰어요. 당시 철학이 연역적 방법으로 자연을 해석한 반면에, 베이컨은 철학자들이 사실부터 원리까지 귀납적 방법을 따라가야 한다고 보았어요. 베이컨은 또 하나의 사실을 강조했

NEVV
ATLANTIS.
A VVorke vnfinished.
VVritten by the Right Honourable, FRANCIS
Lord Verulam, Viscount St. Alban.

베이컨이 쓴
《뉴 아틀란티스》 표지

는데, 이런 귀납적 방법을 시작하기 전에 연구자들은 진리를 왜곡하는 어떤 거짓 개념이나 경향으로부터 마음이 자유로워야 한다는 것이었어요.

베이컨은 인간의 지성이 진리에의 접근을 방해하는 4개의 우상(idola, 偶像)이 있다고 보았어요. 그것은 종족의 우상(인류에게 일반적으로 있는 편견), 동굴의 우상(개인에게 있는 특정한 편견), 시장의 우상(언어의 부적절한 사용에서 오는 편견), 극장의 우상(잘못된 학설이나 그릇된 철학에서 생기는 편견)이에요. 이런 귀납적인 방법론으로부터 베이컨은 "상황과 사람들의 성격이 다르기 때문에, 보편적인 규칙은 존재하지 않는다."라는 결론을 내렸지요.

베이컨은 아리스토텔레스적인 연역법이 지식의 확장에 도움이 되지 않는다고 보고, 실험과 관찰에 기반을 둔 귀납적 방법을 주장했어요. 특히 그는 인간들이 자유롭게 세상을 지배할 수 있는 원인을 밝히려고 노력했고, 이를 위해 현재 인류가 가지고 있는 지적 재산의 표나 목록을 만들어 무엇이 부족하고 보충해야 하는지를 분명히 하려 했어요.

스콜라 철학

스콜라 철학은 중세 가톨릭교회의 세계관을 설명하는 철학 체계예요. 스콜라 철학의 가장 큰 특징은 논리와 분석을 통하여 그리스도교 신앙의 가르침을 포함시키는 거예요. 즉 신앙과 이성의 결합을 통하여 하나님과 세계를 설명하려는 것이지요.

초기 스콜라 철학의 대표자로는 성 안셀무스(1033~1109)가 있어요. 안셀무스는 그리스도교의 신앙을 절대적으로 믿었어요. 그래서 '믿기 위해 알려는 것'이 아니고 '알기 위해 믿는다.'라고 신앙이 모든 이론의 기초가 된다고 했어요. 안셀무스에게 이성과 신앙의 결합은 이론적인 것이라기보다 종교적인 것이어서 붕괴될 위험을 안고 있었죠.

12세기 프랑스 철학자 아벨라르

이런 신앙과 이성을 결합하려는 시도는 동시에 신앙과 이성의 관계에 관한 끊임없는 논쟁을 일으켰어요. 그중 12세기 베르나르와 아벨라르(1079~1142) 사이의 논쟁이 대표적이에요. 종교적 실천가였던 베르나르는 아벨라르가 논리적으로 신학에 접근하는 것을 비난하면서, 아벨라르가 '인간 이성으로 하나님을 이해할 수 있다고 믿는다.'라고 비난했어요.

영국의 철학자이자 신학자 둔스 스코투스

초기 스콜라 철학이 아우구스티누스와 플라톤의 사상을 체계화하고 제도화한 것인데 반해, 전성기의 스콜라 철학은 아리스토텔레스의 사상을 기반으로 확립되었어요. 이에 따라 이성은 올바르게 사고하는 능력일 뿐 아니라 실재를 파악하는 능력이기도 했어요. '신앙과 이성의 결합'이라는 원리는 토마스 아퀴나스(1225~1274)가 《신학대전》을 통해 일관된 구조로 통합했지요.

아퀴나스는 신앙과 자연적 이성이 완전히 일치한다는 안셀무스의 주장에는 동의하지 않았어요. 아퀴나스는 신앙과 이성은 한쪽이 다른 한쪽을 요구하지만, 한쪽이 다른 한쪽에 용해되어 없어지는 것을 허용하지 않았어요. 더 나아가 한쪽이 다른 한쪽에 예속될 경우, 스콜라 철학은 없어진다고 보았어요.

그러나 14세기 초, 후기 스콜라 철학은 신앙과 이성의 결합을 부정했어요. 둔스 스코투스(1266~1308)는 자유를 신과 연관시켰는데, 창조, 구원 등은 신의 절대적 자유 영역으로 필연적 이유가 있을 수 없다고 보았어요. 결국 신앙과 이성을 결합하려는 시도는 쓸모없는 일이라는 거예요. 더 나아가서 오컴(1285~1349)은 신앙과 이성의 결합은 비신학적이라고 보았어요. 신앙과 이성은 완전히 다른 것이고 둘의 결합은 가능하지도 않으며 바람직하지도 않다는 거예요. 이로써 신앙과 이성의 결합은 붕괴되고, 스콜라 철학의 체계도 붕괴되었어요.

왕권신수설

왕권신수설은 절대주의 국가에서 왕권은 신으로부터 주어진 것으로 왕은 신에 대해서만 책임을 지고, 백성들은 저항권 없이 왕에게 절대 복종을 해야 한다는 정치이론이에요. 이 이론은 백성들이 절대왕권에 저항하는 시기에 절대왕권을 보호하기 위한 이데올로기적 무기로 사용되었어요.

왕권신수설을 주창한 잉글랜드 왕 제임스 1세

영국에서 왕권신수설은 제임스 1세 때 등장했어요. 엘리자베스 여왕의 사망 이후 1603년 왕위에 오른 제임스 1세는 청교도와 가톨릭 모두를 탄압하고 국민들에게 국교회를 강요했어요. 제임스 1세는 왕권신수설을 주창하여, 왕은 신 이외에는 아무것도 책임을 지지 않는다고 주장했지요. 그는 왕은 신의 대리자로 존재하므로 왕권에는 제한이 없는 반면, 의회의 권한은 권고하는 데 그치는 것이라고 했어요. 그 뒤 1609년에는 더 나아가 "왕이 신으로 불리는 것은 타당하다. 그 이유는 왕이 지상에 있어서 신의 권력과도 같은 권력을 행사하고 있기 때문이다. 왕은 모든 신민(臣民)을 심판하며, 더욱이 신(神) 이외의 아무것에도 책임을 지지 않는다."라고 말했어요.

프랑스 부르봉 왕정의 전성기를 대표하는 루이 14세

프랑스에서 절대주의는 1589년 부르봉 왕가의 원조인 앙리 4세에 의하여 확립되었어요. 앙리 4세의 법률가 베로아는 《왕권론》(1587)을 저술하여 왕은 신의 대리로서 신에 대해서만 책임이 있고 다른 것에 대해서는 아무런 제한이 없다고 주장했어요. 그 뒤 절대주의는 루이 14세에 이르러 최고조에 달했는데 루이 14세는 스스로 "신은 사람들이 왕을 신의 대리로서 존경할 것을 희망하였다. 백성으로 태어난 자는 누구이건 무조건 왕에게 복종하는 것만이 신의 희망하는 바이다."라고 말했어요. 이런 루이 14세는 살아있는 법률과 같은 존재가 되었고, '짐(朕)은 곧 국가이다.' 라고 할 만큼 절대주의 시대의 대표적인 군주가 되었어요.

일반 은총

일반 은총은 '보편 은혜' 라고도 해요. 영어로는 Common Grace라고 하지요.

죄인을 구원하는 은혜는 아니지만 구원 가능하도록 배경이 되는 우주적, 일반적 은혜이며, 자연과 인간 생활의 질서에 속하는 영역이에요. 일반 은총은 세상의 모든 학문, 예술, 자연현상, 과학 등 모든 영역을 포함하는 거예요. 그러기에 신자이든 불신자이든 일반 은총은 사람들 모두 공유하고 있지요.

그러므로 불신자라 하더라도 열심히 공부하면 좋은 성적과 좋은 학교에 갈 수 있는 것이고, 신자라 하더라도 게으르면 성적이 나쁠 수 있는 것이죠. 불신자라도 돈을 아끼고 경제 관리를 잘하면 돈을 많이 모을 수 있는 것이고, 신자라도 돈을 흥청망청 쓰고 경제 관리를 못하면 가난해질 수밖에 없는 거예요. 불신자라도 아주 정확하고 세밀하게 농사법을 연구하고 그 원리대로 농사를 하면, 당연히 엄청난 수확을 얻을 수 있어요. 반면 신자라도 농사법을 제대로 모르면, 완전히 농사를 실패하는 것이지요.

이것은 하느님이 모든 사람을 위해서 비를 내리고, 햇빛을 비추고, 공기를 주기 때문이에요. 그러니 구원받은 백성이라고 해서 항상 돈을 많이 벌고, 공부를 잘하고, 안정된 직장과 다정한 가정을 가질 수 있다고 생각해서는 안 된다고 봐요. 불신자라 하더라도 얼마든지 정치면에서, 경제면에서, 교육면에서, 건강면에서, 예술면에서 과학면에서 더 뛰어날 수 있거든요. 일반 은총은 영적인 변화를 주지는 못하지만, 이성적, 논리적, 도덕적, 자연적 접근 방법으로 사람들에게 영향을 주지요.

반면 **특별 은총**(Special Grace)은 오직 구원받은 자에게 주어지는 하느님의 은혜예요. 이 특별 은총은 오직 예수 안에서만 계시된 은혜이기에, 일반 은총에 속하는 피조 세계에서 완전히 이해될 수 없는 영역이지요.

일반 은총 분야는 개인의 인격과 자유의지로 저항도 할 수 있고, 선택도 할 수 있어요. 그래서 게으르지 않겠다고 선택하면, 당연히 아침에 일찍 일어나려고 할 거예요. 반면 특별 은총 분야는 인간의 의지와 선택에 의해서 되는 것이 아니라, 전적으로 하느님의 권한 아래에서 이루어지는 은혜예요. 특별 은총은 근본적인 인간의 죄를 없앨 수 있고, 영적인 변화를 일으킬 수 있다고 해요. 이것은 오직 하느님의 값없이 주시는 은혜로만 가능한 것이라고 해요.

01 《리바이어던》을 쓴 사람은 누구일까요?

① 홈즈 ② 홉스 ③ 휴즈 ④ 헤세 ⑤ 쉴러

02 실제로 '리바이어던'은 무엇을 말할까요?

① 하느님의 저주를 받은 뱀 혹은 용으로 묘사되는 짐승의 이름이다.
② 성경에 나오는 괴물로 이스라엘을 멸망케 한 짐승의 이름이다.
③ 불경에 나오는 착한 동물로 위험에 빠진 사람을 도와준다.
④ 어린이들의 꿈에 등장하는 동물로 악마를 대변한다.
⑤ 철학자들의 모임을 상징하는 곤충의 이름이다.

03 홉스는 '인간'이라는 존재를 어떻게 보았을까요?

① 인간은 태어날 때 천사처럼 착한 마음을 가진다.
② 인간은 잘못된 교육을 받아서 점점 악해진다.
③ 인간의 본성은 이기적이어서 공격적이고 파괴적인 일을 서슴지 않는다.
④ 정의로운 사회에 태어난 인간은 정의로운 인간이 된다.
⑤ 종교를 가진 인간은 언젠가는 착한 인간이 된다.

04 홉스는 사람들이 스스로를 보호하기 위해 통치자와 계약을 맺음으로써 만들어진 인공적 존재를 무엇이라고 했나요?

① 민족 ② 도시 ③ 정부 ④ 대통령 ⑤ 국가

05 홉스는 인간이 만든 것 중에서 가장 고귀하고 유익한 발명품은 무엇이라고 했나요?

① 나침반 ② 화약 ③ 종이 ④ 언어 ⑤ 인쇄술

06 홉스가 말한 '자연 상태'가 아닌 것을 고르세요.

① 어떤 나라의 국민이 국적이 없는 난민과 같은 신세가 되었다.
② 오직 힘만이 정의가 된다.
③ 사람들은 자신의 판단으로만 살아가게 된다.
④ 모든 사람이 평등한 상태이다.
⑤ 국가가 튼튼하게 자리 잡고 법이 공평하게 집행되어 평화로운 상태이다.

07 홉스는 인간이 폭력적인 성향을 가지는 이유로 세 가지를 들었습니다. 첫째는 경쟁심이고, 둘째는 자신감의 결여인데, 셋째로 꼽은 것은 무엇일까요?

____

____

08 다음에서 설명하는 철학을 무엇이라고 할까요?

중세 가톨릭교회의 세계관을 설명하는 철학 세계이다. 이 철학의 가장 큰 특징은 논리와 분석을 통하여 그리스도교 신앙의 가르침을 전하는 것이다. 즉 신앙과 이성의 결합을 통해 하나님과 인간 세계를 설명하는 것을 목표로 하고 있다.

09 홉스는 정부의 형태를 정하는 정치로 군주정치, 민주정치, 귀족정치, 이렇게 세 가지로 나누었는데, 이 중에서 홉스가 좋아했던 정치 체제는 무엇일까요?

10 홉스는 자연 상태에서 자신을 보호해 줄 공동의 힘을 만들기 위해 통치자를 세운 것이라고 주장했습니다. 그런데 왕권신수설을 따르던 당시의 왕족과 귀족들은 홉스의 생각을 비난했는데 그 이유는 무엇일까요?

___

___

___

정답

01 ② : 토마스 홉스는 영국의 철학자로 각자의 이익을 지키기 위해서 계약으로 국가를 만들고, 국가를 대표하는 의지에 복종해야 한다고 생각했으며 전제군주제를 이상적인 국가 형태로 생각했습니다.

02 ① : 리바이어던은 《성경》의 욥기 41장에 등장하는, 입에서는 불이 나오고 콧구멍에는 연기가 나오는 짐승으로, 혼돈과 무질서를 상징합니다.

03 ③ : 홉스는 성악설(인간의 본성은 악하다고 생각하는 이론)을 전제로 인간을 연구했습니다. 신문에 날마다 사기, 폭행, 살인과 같은 범죄가 일어나는 것은 인간의 본성이 악하다는 의미로 보았습니다. / 04 ⑤

05 ④ : 홉스는 언어로 인해 사람들이 자신의 생각을 기록하고, 지나간 것을 기억하고, 유익한 대화를 할 수 있으며, 사람을 가르칠 수 있기 때문에 언어를 가장 위대한 발명품이라 여겼습니다.

06 ⑤ : 홉스는 자연 상태를 전쟁 상태와 같이 인간이 살아가기에 몹시 힘든 상태라고 생각했습니다.

07 영광의 추구 : 홉스는 사람이 영광을 추구하기 위해, 즉 명성을 얻기 위해 다른 사람을 공격하는 성향을 가진다고 했습니다.

08 스콜라 철학 : 스콜라 철학의 대표적인 철학자로는 13세기에 활동했던 토마스 아퀴나스가 있습니다. 토마스 아퀴나스에 의해 스콜라 철학은 크게 발전했으나, 14세기에 이르러 신앙과 이성의 결합이 부정됨으로써 스콜라 철학도 사람들의 관심에서 멀어지게 되었습니다.

09 군주정치 : 군주정치는 한 사람이 최고의 권력을 가지는 정부 형태입니다. 홉스는 강력한 통치권이 중요하다고 생각했으므로 군주정치를 선호했습니다. 그러나 전제 조건이 있었는데, 그것은 군주가 강력한 통치권을 행사하는 목적은 언제나 통치를 받는 백성의 안전이었습니다. 만약 군주가 백성의 안전을 지켜 주지 못하는 경우, 그 군주는 쫓겨나야 한다고 생각했습니다.

10 왕권신수설에 의하면 통치권은 신이 왕에게 부여한 것으로 왕의 통치권에 대한 불복종은 신에 대한 불복종이므로 용납할 수 없다고 보았습니다. 그러나 홉스의 생각에 따르면 통치권은 각 개인들이 자신의 권리를 통치자에게 맡긴 것이 되므로 절대적인 통치권을 행사하기 어렵게 됩니다.

통합교과학습의 기본은 세계사의 이해,
세계대역사 50사건

제대로 알차게 만든 교양 세계사 만화!
우리 집 최고의 종합 인문 교양서!

★서양사와 동양사를 21세기의 균형적 시각에서 다룬 최초의 역사 만화
★세계사의 핵심사건과 대표적 인물을 함께 소개해 세계사의 맥락을 짚어 주는 책
★시시각각 이슈가 되는 세계사 정보를 지식이 되게 하는 재미있는 대중 교양서

1. 파라오와 이집트
2. 마야와 잉카 문명
3. 춘추 전국 시대와 제자백가
4. 로마의 탄생과 포에니 전쟁
5.석가모니와 불교의 발전
6. 그리스 철학의 황금시대
7. 페르시아 전쟁과 그리스의 번영
8. 알렉산드로스 대왕과 헬레니즘
9. 실크 로드와 동서 문명의 교류
10. 진시황제와 중국 통일
11. 카이사르와 로마 제국
12. 로마 제국의 황제들
13. 예수와 기독교의 시작
14. 무함마드와 이슬람 제국
15. 십자군 전쟁
16. 칭기즈 칸과 몽골 제국
17. 르네상스와 휴머니즘
18. 잔 다르크와 백년전쟁
19. 루터와 종교개혁
20. 코페르니쿠스와 과학 혁명
21. 동인도회사와 유럽 제국주의
22. 루이 14세와 절대왕정
23. 청교도 혁명과 명예혁명
24. 미국의 독립전쟁
25. 산업 혁명과 유럽의 근대화
26. 프랑스 대혁명
27. 나폴레옹과 프랑스 제1제정
28. 라틴 아메리카의 독립과 민주화
29. 빅토리아 여왕과 대영제국
30. 마르크스_레닌주의
31. 태평천국운동과 신해혁명
32. 비스마르크와 독일 제국의 흥망성쇠
33. 메이지 유신 일본의 근대화
34. 올림픽의 어제와 오늘
35. 양자역학과 현대과학
36. 아인슈타인과 상대성 원리
37. 간디와 사티아그라하
38. 마오쩌둥과 중국 공산당
39. 대공황 이후 세계 자본주의의 발전
40. 제2차 세계 대전
41. 태평양 전쟁과 경제대국 일본
42. 호찌민과 베트남 전쟁
43. 팔레스타인과 이스라엘의 분쟁
44. 넬슨 만델라와 인권운동
45. 카스트로와 쿠바 혁명
46.아프리카의 독립과 민주화
47. 스푸트니크호와 우주 개발
48. 독일 통일과 소련의 붕괴
49. 유럽 통합의 역사와 미래
50. 신흥대국 중국과 동북공정
★가이드북

김창회 외 글 | 진선규 외 그림 | 232쪽 내외